GRAÇA

MAX LUCADO

GRAÇA

MAIS DO QUE MERECEMOS. MAIOR DO QUE IMAGINAMOS.

Traduzido por
LEILA KORMES

Rio de Janeiro, 2022

Título original
Grace

Publisher	*Omar de Souza*
Editor responsável	*Renata Sturm*
Produção editorial	*Thalita Aragão Ramalho*
Tradução	*Leila Kormes*
Copidesque	*Magda Carlos*
Revisão	*Margarida Seltmann*
	Halime Musser
	Daniel Borges
	Marcus Aurélio de Castro Braga
Diagramação e projeto gráfico	*Carmen Beatriz Silva*

As citações bíblicas foram extraídas da NVI - Nova Versão Internacional, salvo quando especificado.

CIP-BRASIL. CATALOGAÇÃO-NA-FONTE
SINDICATO NACIONAL DOS EDITORES DE LIVROS, RJ

L965g

Lucado, Max, 1955-

Graça: mais do que merecemos, maior do que imaginamos/Max Lucado; [tradução Leila Kormes]. - Rio de Janeiro: Thomas Nelson Brasil, 2012.
il.

Tradução de: Grace
ISBN 978-85-7860-298-7

1. Vida cristã. 2. Deus. 3. Fé. I. Título.

12-4306. CDD: 248.4
CDU: 27-584

Thomas Nelson Brasil é uma marca licenciada à Vida Melhor Editora LTDA.

Rua da Quitanda, 86, sala 218 – Centro – 20091-005
Rio de Janeiro – RJ – Brasil
Tel.: (21) 3175-1030
www.thomasnelson.com.br

"A graça de Deus — seu amor incondicional e favor imerecido — é algo difícil de ser compreendido pela maioria das pessoas, embora cada um de nós necessite desesperadamente dela. Mas no novo livro de Max Lucado, *Graça*, é totalmente compreendida. Com o profundo conhecimento bíblico e a narrativa característica de Lucado, aprendemos que a graça de Deus é verdadeiramente muito mais do que merecemos e maior do que imaginamos."

Dr. Charles F. Stanley, escritor e pastor

"Max Lucado mescla criatividade literária e sinceridade para relatar como ele mesmo tem experimentado a graça, a misericórdia e o perdão de Deus em situações de fracasso e desespero. Você vai encontrar conforto, pois Max faz brilhar a luz da Palavra de Deus, revelando que Jesus Cristo é verdadeiramente a única esperança que traz a paz eterna."

Franklin Graham, presidente e CEO da Bolsa do Samaritano, Associação Evangelística Billy Graham

"Max Lucado é um homem apaixonado pela humanidade. Através dos seus escritos, leva os leitores a serem cristãos sem fronteiras e a desenvolverem uma espiritualidade inteligente, que respeita as diferenças."

Augusto Cury, autor do *best seller O código da inteligência e a excelência emocional.*

"Admiro muito o grande escritor que é Max Lucado, e sou influenciada pela forma poética, profunda e, mesmo assim, acessível que ele imprime a seus livros."

Ludmila Ferber, pastora e cantora

"Falar da graça e vivenciá-la. Poder transformar o ambiente e a atmosfera do nosso viver. Mais uma vez, Max nos surpreende com simplicidade e, ao mesmo tempo, intensidade ao falar de forma tão palpável e próxima sobre aquilo que nos mantém de pé e nos permite sonhar: a graça."

André Valadão, pastor e cantor

"*Graça*. Este livro de Max Lucado nos leva a uma viagem no amor. Não apenas no amor de Deus, mas também no amor dos homens. Nas próximas páginas você vai penetrar no mundo doce e maravilhoso da graça de Deus."

Bispo Robson Rodovalho, Ministério Sara Nossa Terra

"Max Lucado transcende gerações, raças e culturas. A essência de suas mensagens leva-nos ao ponto da reflexão que gera transformação. Sua capacidade de comunicar enriquece verdades cruciais a um nível de revelação que vai além do intelecto."

Apóstolo Rina, Igreja Bola de Neve

No nosso décimo terceiro aniversário de casamento,
dedico este livro a minha esposa Denalyn. Você é
o presente da graça de Deus na minha vida.
Todo lugar parece vazio se você não está nele.

Sumário

Agradecimentos

A graça é a melhor ideia de Deus. A decisão dele de devastar um povo pelo amor, resgatar com paixão e restaurar com justiça — o que pode disputar com isso? De todas as suas obras maravilhosas, a graça, na minha opinião, é a *opus magnum*. A amizade é a segunda. Amigos tornam-se mensageiros da graça, condutores da graça do céu. Aqueles de nós que precisam de muita graça fazem bons amigos. Eu faço. Muitos deles mostraram muita graça para mim enquanto eu escrevia este livro. Posso agradecer a eles?

Minhas editoras, Liz Heaney e Karen Hill. Mais uma vez vocês poliram os pontos ásperos e descartaram o desnecessário. Vocês trataram este livro como se fosse de vocês e, de muitas maneiras, ele é. Eu aprecio e admiro profundamente as duas.

À equipe da editora Thomas Nelson. Sua paixão de inspirar o mundo é contagiosa. Estou honrado em fazer parte dessa equipe. Uma saudação especial a Mark Schoenwald, David Moberg, Liz Johnson, LeeEric Fesko e Greg e Susan Ligon.

Em 1973, em um torneio de discursos no Ensino Médio, conheci meu melhor amigo, Steve Green. Poucas pessoas demonstraram mais graça para mim do que Steve e sua esposa Cheryl. Obrigado aos dois. Vocês supervisionam o mundo editorial com habilidade e paciência.

Carol Bartley, copidesque. Dar um manuscrito a você é levar uma camisa às lavanderias. Sempre volta limpo, passado e pronto. Sua habilidade me deixa atônito; seu espírito gracioso ainda mais.

Nossos parceiros de ministério da Oak Hills Church, Randy e Rozanne Frazee. Vocês alegram todo lugar em que entram. Estou honrado em conhecê-los e servir com vocês.

Um reconhecimento especial a Oak Hills Church, uma estufa da graça. Celebro os anos que passamos juntos e antecipo os que virão. Obrigado ao velho David Treat por suas orações especiais e apoio pastoral. E obrigado a Barbie Bates por possibilitar a Denalyn e a mim transformarmos o Solid Rock Ranch em um refúgio de escritor.

Margaret Mechinus, Tina Chisholm, Jennifer Bowman e Janie Padilla lidaram primorosamente com as correspondências, perguntas e detalhes. Esse barco afundaria sem vocês!

E, por falar em manter o barco navegando, David Drury e Brad Tuggle ajudaram esse projeto a navegar por meio de estreitos teológicos com ideias aguçadas e conselhos oportunos. Sou muito grato.

A criação deste livro coincidiu com a morte de John Stott. Ele era um articulado campeão da fé e amava nosso Senhor. É uma honra chamá-lo de amigo.

E minhas filhas, Andrea, Sara , Jenna e meu genro Brett. Sua fé e devoção me surpreendem. Que maior alegria poderia haver do que ver Deus vivo nos meus filhos? Que vocês possam rir muito e aprender e amar essa coisa chamada vida.

Capítulo 1

A vida moldada pela graça

Cuidem que ninguém se exclua da graça de Deus.
— Hebreus 12:15

"Cristo vive em mim."
— Gálatas 2:20

Darei a vocês um coração novo... Removerei o coração de pedra que têm e o trocarei por um coração que vive segundo a vontade de Deus, não segundo a própria vontade.
— Ezequiel 36:26 MSG

O cristão é um homem a quem algo aconteceu.
— E. L. Mascall

Se alguém batesse no meu coração e dissesse "Quem mora aqui?" Eu responderia: "Não é o Martinho Lutero, mas sim o Senhor Jesus Cristo."
— Martinho Lutero

A graça de Deus é abundante. Superabundante.
Como uma correnteza que vira você de
ponta-cabeça. A graça vai em sua busca.

Há alguns anos, fui submetido a um procedimento cardíaco. Meus batimentos tinham a regularidade de um operador de telégrafo enviando um código Morse. Rápido, rápido, rápido. Leeeento. Depois de várias tentativas fracassadas de restaurar o ritmo saudável com medicamentos, meu médico decidiu que precisaria de uma ablação por cateter. O plano foi assim: um cardiologista inseriria dois cabos no meu coração através de uma veia. Um era a câmera; o outro uma ferramenta de ablação. Ablacionar é queimar. Sim, queimar, cauterizar, chamuscar. Se tudo acontecesse conforme o previsto, o médico, de acordo com as palavras dele, destruiria as partes "que se comportam mal" do meu coração.

Enquanto eu era levado de maca para o centro cirúrgico, ele perguntou se eu tinha alguma dúvida. (Não foi a melhor escolha de palavras.) Tentei ser inteligente.

"Você vai queimar o interior do meu coração, certo?"

"Correto."

"Você pretende matar as células que não estão se comportando bem, não é?"

"Esse é o meu plano."

"Enquanto estiver ali, você poderia usar o maçarico na minha ganância, egoísmo, superioridade e culpa?"

Ele sorriu e respondeu: "Desculpe, isso não está incluído no meu contracheque."

Realmente não estava, mas estava no contracheque de Deus. Ele trabalha no ramo de mudança de corações.

Não seria correto pensar que essa mudança ocorra da noite para o dia. Mas também não seria correto achar que a mudança nunca ocorra. Pode vir espasmodicamente — um "ahá" aqui, uma reviravolta ali. Mas ela vem. "Porque a graça de Deus se manifestou salvadora a todos os homens" (Tito 2:11). As comportas estão abertas e a água está saindo. Você nunca sabe quando a graça vai se infiltrar.

- *Você olha para a escuridão.* Seu marido está dormindo ao seu lado. O ventilador de teto gira acima de vocês. Em quinze minutos, o despertador tocará e as responsabilidades do dia atingirão você como um palhaço lançado de um canhão de circo com três picadeiros de reuniões, chefes e treinos de beisebol. Pela milionésima vez, você fará o café da manhã, as programações e a relação das contas a pagar... Apesar de ser sua própria vida, você não consegue dar um sentido a isso que chamamos de vida. Seus começos e fins. Berços e cânceres, cemitérios e perguntas. O porquê disso tudo deixa você acordada. Enquanto ele dorme e o mundo espera, você olha fixamente.
- *Você vira a página de sua Bíblia e olha para as palavras.* Você bem poderia estar observando um cemitério. Sem vida e pétreo. Nada lhe comove. Mas você não ousa fechar o livro, não mesmo. Você se arrasta pela leitura diária do mesmo modo como se arrasta pelas orações, penitências e ofertas. Você não ousa deixar de fazer nada com medo de que Deus apague seu nome do livro dele.
- *Você percorre com o dedo uma foto do rosto dela.* A menina tinha apenas cinco anos quando você tirou a foto. As bochechas sardentas do sol do verão, os cabelos presos com tranças e os pés com pés-de-pato. Isso foi há vinte anos. Três casamentos atrás. Um milhão de milhas e e-mails atrás. Esta noite ela entrará na igreja nos braços de outro pai. Você deixou sua família para trás em busca de carreira em alta velocidade. Agora que você tem o que queria, você não quer nada disso. Ah, uma segunda chance.

- *Você ouve o pregador*. Um tipo atarracado, com papada, careca e um pescoço grosso que pende sobre o colarinho clerical. Seu pai pode fazê-lo ir à igreja, mas não pode fazê-lo ouvir. Ao menos é o que você sempre resmunga consigo mesmo. Mas, nesta manhã, você ouve, porque o pastor fala de um Deus que ama em abundância e você se sente o pior dos seres. Você não pode manter a gravidez em segredo por muito tempo. Logo seus pais saberão. O pregador saberá. Ele diz que Deus já sabe. Você fica imaginando o que Deus pensa.

O significado da vida. Os anos desperdiçados da vida. As infelizes escolhas da vida. Deus responde à confusão da vida com uma palavra: *graça*.

Falamos como se entendêssemos o termo. O banco nos dá um período de *graça*. O político fraco caiu nas *graças*. Os músicos falam de uma nota de *graça*. Descrevemos uma atriz como *graciosa*, uma dançarina como cheia de *graça*. Usamos a palavra para hospitais, bebês, reis e orações antes das refeições. Falamos como se soubéssemos o que *graça* quer dizer.

Especialmente na igreja. A *graça* enche de graça as canções que cantamos e os versos da Bíblia que lemos. A *graça* compartilha o presbitério com seus primos, o *perdão*, a *fé* e a *comunhão*. Os pregadores a explicam. Os hinos a proclamam. Os seminários a ensinam.

Mas conseguimos realmente entendê-la?

Acredito que nos conformamos com uma graça débil. Ela ocupa educadamente uma frase em um hino, encaixa-se bem em um símbolo da igreja. Nunca causa confusão nem exige uma resposta. Quando alguém pergunta "Você acredita em graça?", poderíamos dizer não?

Este livro faz uma pergunta mais profunda: você já foi mudado pela graça? Moldado pela graça? Fortalecido pela graça? Encorajado pela graça? Suavizado pela graça? Agarrado pelo pescoço e sacudido até perder os sentidos pela graça? A graça de Deus é abundante. Superabundante. Como uma correnteza que vira você de ponta-cabeça. A graça vai em sua busca. Ela reestrutura você. De inseguro a seguro em Deus. De cheio de arrependimentos a uma pessoa melhor por causa dela. De alguém com medo de morrer a alguém pronto para voar. A graça é a voz que nos chama a mudar e, assim, dá-nos o poder de sermos bem-sucedidos.[1]

Quando a graça acontece, não recebemos um elogio de Deus, mas um novo coração. Dê seu coração a Cristo e ele retornará o favor. "Darei a vocês um coração novo e porei um espírito novo em vocês" (Ezequiel 36:26).[2]

Você poderia chamar de transplante espiritual de coração.

Tara Storch entende esse milagre tanto quanto qualquer outra pessoa. Na primavera de 2010, um acidente de esqui tirou a vida de sua filha de treze anos, Taylor. O que se seguiu para Tara e o marido, Todd, foi o pior pesadelo para qualquer pai: um funeral, um enterro, uma enxurrada de perguntas e lágrimas. Decidiram doar os órgãos da filha. Poucas pessoas precisavam de um coração mais do que Patricia Winters. O coração dela começou a falhar cinco anos antes, deixando-a muito fraca para fazer algo mais além de dormir. O coração de Taylor deu a Patricia um novo começo de vida.

Tara tinha apenas uma exigência: ela queria ouvir o coração da filha. Todd e ela voaram de Dallas a Fênix e foram até à casa de Patricia para ouvir o coração de Taylor.

As duas mães se abraçaram por um longo tempo. Então, Patricia ofereceu a Tara e a Todd um estetoscópio[3]. Quando eles ouviram o ritmo saudável, que coração eles ouviram? Eles não ouviram o coração da própria filha ainda pulsante? Habitava em um corpo diferente, mas o coração era o coração da filha deles. E, quando Deus ouve seu coração, ele não ouve o coração do próprio Filho ainda pulsante?

Como disse Paulo: "Já não sou eu quem vive, mas Cristo vive em mim" (Gálatas 2:20). O apóstolo sentia dentro de si não apenas a filosofia, os ideais ou a influência de Cristo, mas a pessoa de Jesus. Cristo entrara nele. Ainda entra. Quando a graça acontece, Cristo entra. "Cristo em vocês, a esperança da glória" (Colossenses 1:27).

Por muitos anos eu deixei passar essa verdade. Acreditava em todas as outras preposições: Cristo *para* mim, *comigo*, *à minha frente*. E eu sabia que estava trabalhando *ao lado de* Cristo, *sob a direção de* Cristo, *com* Cristo. Mas nunca imaginara que Cristo estava *em* mim.

Não posso colocar a culpa da minha deficiência na Escritura. Paulo refere-se a essa união 216 vezes. João menciona 26.[4] Eles descrevem um Cristo que não apenas nos solicita para si mesmo, como também nos tem como "únicos" para si mesmo. "Se alguém confessa publicamente que Jesus é o Filho de Deus, *Deus permanece nele*, e ele em Deus" (1João 4:15, grifo meu).

Nenhuma outra religião ou filosofia faz tal afirmação. Nenhum outro movimento implica na presença viva de seu fundador em seus seguidores. Maomé não habita nos muçulmanos. Buda não habita nos budistas. Hugh Hefner não habita nos que buscam o prazer hedonista. Influenciam? Instruem? Seduzem? Sim. Mas ocupam? Não.

Já os cristãos abraçam essa promessa enigmática. "O mistério, em poucas palavras, é este: Cristo está em vocês" (Colossenses 1:27 MSG). O cristão é uma pessoa em quem Cristo está acontecendo.

Somos de Jesus Cristo; pertencemos a ele. Aliás, somos *cada vez mais* ele. Ele entra e recruta nossas mãos e nossos pés, solicita nossa mente e língua. Sentimos a reestruturação dele: destroços em divino, água em vinho. Ele redireciona decisões ruins e escolhas sórdidas. Aos poucos, vai surgindo uma nova imagem. "Pois aqueles que de antemão conheceu, também os predestinou para serem conformes à imagem de seu Filho, a fim de que ele seja o primogênito entre muitos irmãos" (Romanos 8:29).

Graça é Deus como um cirurgião cardíaco, abrindo seu peito, removendo seu coração — envenenando com orgulho e dor — e substituindo-o pelo coração dele próprio. Ao invés de nos falar para mudar, ele cria a mudança. Organizamos tudo para que ele nos aceite? Não, ele nos aceita e começa a organização. O sonho dele não é apenas tê-lo no céu, mas que o céu esteja em você. Que diferença isso faz! Não consegue perdoar seu inimigo? Não consegue enfrentar o dia de amanhã? Não consegue perdoar seu passado? Cristo pode, e ele está em movimento, tirando você ousadamente de uma vida sem graça para uma vida moldada em graça. As dádivas concedidas concedendo dádivas. Pessoas perdoadas perdoando as pessoas. Suspiros profundos de alívio. Inúmeros tropeços, mas raro desespero.

A graça é totalmente Jesus. A graça vive porque ele vive, trabalha porque ele trabalha, se importa porque ele se importa. Ele colocou um limite no pecado e fez uma dança vitoriosa em um cemitério. Ser salvo pela graça é ser salvo por ele — não por uma ideia, doutrina, credo ou filiação em uma igreja, mas pelo próprio Jesus, que levará ao céu quem simplesmente acenar para ele.

Não em resposta a um estalar de dedos, a um canto religioso ou a um aperto de mãos secreto. A graça não será encenada. Não tenho nenhuma dica de como chegar até a graça. A verdade é que não chegamos até a graça. Mas ela certamente chega até nós. A graça tirou a má reputação do filho pródigo e espantou o ódio de Paulo; e promete fazer o mesmo em nós.

Se você receia ter abusado da bondade de Deus, sai arrastando as mágoas como um para-choque quebrado, reclama mais do que aproveita e relaxa, e, acima de tudo, se você fica se perguntando se Deus pode fazer algo com a confusão que é sua vida, então é da graça que você precisa.

Vamos nos assegurar de que o mesmo aconteça com você.

Capítulo 2

O Deus condescendente

Assim saberemos que somos da verdade; e tranquilizaremos o nosso coração diante dele quando o nosso coração nos condenar. Porque Deus é maior do que o nosso coração e sabe todas as coisas.
— 1João 3:19,20

Cheguemos perto de Deus com um coração sincero e uma fé firme, com a consciência limpa de nossas culpas.
— Hebreus 10:22 NTLH

Quão maravilhoso é um Deus que nos dá Deus!
— Agostinho

Graça é Deus amando, Deus se humilhando em favor de nós, Deus vindo nos resgatar, Deus se entregando generosamente em Jesus Cristo e por intermédio dele.
— John Stott

Na presença de Deus,
Em desafio a Satanás,
Jesus levanta-se em sua defesa.

As vozes a arrancaram da cama.

— Levante-se, sua prostituta.

— Que tipo de mulher você pensa que é?

Os sacerdotes arrombaram a porta do quarto, abriram as cortinas e arrancaram as cobertas. Antes de sentir o calor do sol da manhã, ela sentiu a fúria do desprezo deles.

— Que vergonha.

— Patético.

— Nojento.

Ela mal teve tempo de cobrir o corpo antes de conduzirem-na pelas ruas estreitas. Os cães latiram. Os galos fugiram. As mulheres saíram das janelas. As mães tiraram os filhos do caminho. Os mercadores espiaram das portas de suas lojas. Jerusalém tornou-se um júri e deu seu veredito com olhares penetrantes e braços cruzados.

E, como se a invasão do quarto e a parada da vergonha fossem inadequados, os homens empurraram-na para o meio de uma aula bíblica matinal.

> Ao amanhecer [Jesus] apareceu novamente no templo, onde todo o povo se reuniu ao seu redor, e ele se assentou para ensiná-lo. Os mestres da lei e os fariseus trouxeram-lhe uma mulher surpreendida em adultério. Fizeram-na ficar em pé diante de todos e disseram a Jesus: "Mestre, esta mulher foi surpreendida em ato de adultério. Na Lei, Moisés nos ordena apedrejar tais mulheres. E o senhor, que diz?" (João 8:2-5)

Os estudantes, atônitos, em pé ao lado dela. Devotos queixosos do outro. Eles tinham suas próprias perguntas e convicções; a mulher vestia um penhoar sedutor e seu batom estava manchado.

— Esta mulher foi surpreendida em ato de adultério — os acusadores dela gritaram.

Surpreendida em *pleno* ato. No momento. Nos braços. Na paixão. Surpreendida em pleno ato pelo Conselho de Decência e Conduta de Jerusalém.

— Na Lei, Moisés nos ordena apedrejar tais mulheres. E o senhor, que diz?

A mulher não tinha saída. Negar a acusação? Ela fora surpreendida. Implorar pelo perdão? De quem? De Deus? Os porta-vozes dele estavam apertando pedras e rosnando por entre os dentes. Ninguém falaria por ela.

Mas alguém seria condescendente com ela.

"Jesus inclinou-se e começou a escrever no chão com o dedo" (v. 6). Esperaríamos que ele se erguesse, desse um passo à frente ou até mesmo subisse em uma escada e falasse. Mas, em vez disso, ele se inclinou. Ele desceu mais baixo do que qualquer outro — abaixo dos sacerdotes, do povo e até mesmo da mulher. Os acusadores olhavam-na de cima. Para ver Jesus, tiveram de olhar mais para baixo ainda.

Ele está propenso a se inclinar. Ele inclinou-se para lavar pés, abraçar crianças. Inclinou-se para tirar Pedro do mar, orar no jardim. Inclinou-se perante o pelourinho de Roma. Inclinou-se para carregar a cruz. A graça é um Deus que se inclina. Aqui ele se inclinou para escrever na areia.

Lembra-se da primeira ocasião em que os dedos de Deus tocaram o pó? Ele inclinou-se ao solo e formou Adão. Enquanto tocava o solo queimado pelo sol abaixo da mulher, talvez Jesus estivesse revivendo o momento da Criação, lembrando-se de onde viemos. Os humanos terrenos estão propensos a fazer coisas terrenas. Talvez Jesus escrevesse no solo em seu próprio benefício.

Ou pelo dela? Para desviar os olhos escancarados da mulher seminua surpreendida que se inclinava no centro do círculo?

O bando estava cada vez mais impaciente com o silêncio e a inclinação de Jesus. "Visto que continuavam a interrogá-lo, ele se levantou" (v. 7).

Ele se ergueu até os ombros ficarem retos e a cabeça elevada. Ergueu-se, não para pregar, pois suas palavras seriam poucas. Não por muito tempo, pois logo se inclinaria novamente. Não para instruir seus discípulos; não se dirigia a eles. Erguia-se em prol da mulher. Colocou-se entre ela e a multidão que queria linchá--la: 'Se algum de vocês estiver sem pecado, seja o primeiro a atirar pedra nela!' Inclinou-se novamente e continuou escrevendo no chão" (v. 7,8).

Os acusadores se calaram. As pedras caíram no chão. Jesus retornou aos seus rabiscos. "Os que o ouviram foram saindo, um de cada vez, começando pelos mais velhos. Jesus ficou só, com a mulher em pé diante dele" (v. 9).

Jesus não havia terminado. Ele inclinou-se mais uma vez e perguntou à mulher: "Mulher, onde estão eles? Ninguém a condenou?" (v. 10).

Ora, ora, ora. Que pergunta — não apenas para ela, mas para nós. As vozes da condenação também nos despertam.

"Você nunca é bom o bastante."

"Você nunca vai melhorar."

"Você fracassou — de novo."

As vozes em nosso mundo.

E as vozes em nossa cabeça! Quem é esse patrulheiro da moralidade que profere uma citação a cada tropeço? Quem nos lembra de cada erro? Ele nunca fica quieto?

Não. Porque Satanás nunca fica quieto. O apóstolo João chamava-o de Acusador: "O grande dragão foi lançado fora. Ele é a antiga serpente chamada Diabo ou Satanás, que engana o mundo todo. Ele e os seus anjos foram lançados à terra. Então ouvi uma forte voz do céu que dizia: '... foi lançado fora o acusador dos nossos irmãos, que os acusa diante do nosso Deus, dia e noite'" (Apocalipse 12:9,10).

Dia após dia, hora após hora. Implacável, incansável. O Acusador é especialista em acusar. Diferente da convicção do Espírito Santo, a condenação de Satanás não traz nenhum arrependimento ou resolução, só pesar. Ele tem um objetivo: "roubar, matar e destruir" (João 10:10). Roubar sua paz, matar seus sonhos e destruir seu futuro. Ele nomeou uma horda de demônios eloquentes para ajudá-lo. Ele recruta pessoas para espalhar seu veneno. Amigos desenterram seu passado. Pregadores proclamam toda a culpa e nenhuma graça. E os pais, ah, os pais, eles têm uma agência de viagens especializada em viagens de culpa. Distribuem-na vinte e quatro horas por dia. Mesmo quando adultos, vocês ouvirão a voz deles: "Por que você não cresce?", "Quando você vai me deixar orgulhoso?"

Condenação — a mercadoria preferida de Satanás. Ele repetirá o cenário da mulher adúltera sempre que você permitir, conduzindo-o pelas ruas da cidade e jogando seu nome na lama. Ele o empurra para o meio da multidão e escancara seu pecado em voz alta:

ESSA PESSOA FOI APANHADA NO ATO DE
Imoralidade... estupidez... desonestidade... irresponsabilidade.

Mas ele não terá a última palavra. Jesus agiu em seu benefício.

Ele inclinou-se. O suficiente para dormir em uma manjedoura, trabalhar em uma carpintaria, dormir em um barco pesqueiro. O suficiente para sociabilizar com trapaceiros e leprosos. O suficiente para ser cuspido, espancado, pregado e furado com uma lança. O suficiente. O suficiente para ser enterrado.

E, então, ele se ergueu. Da laje da morte. Da sepultura de José e bem na cara de Satanás. Alto. Elevado. Ergueu-se para a mulher e silenciou os acusadores dela, e ele faz o mesmo por você.

Ele "está na presença de Deus neste exato momento, intercedendo por nós" (Romanos 8:34 MSG). Amadureça esta ideia por um momento. Na presença de Deus, em oposição a Satanás, Jesus Cristo ergue-se para defender você. Ele assume o papel do sacerdote. "Nós temos um grande sacerdote para dirigir a casa de Deus. Portanto, cheguemos perto de Deus com um coração sincero e uma fé firme, com a consciência limpa das nossas culpas" (Hebreus 10:21,22 NTLH).

Uma consciência limpa. Um registro limpo. Um coração limpo. Livre de acusação. Livre de condenação. Não apenas por nossos erros passados, mas também pelos futuros.

"Como ele vive para sempre, ele sempre estará diante de Deus, lembrando-o de que pagou por nossos pecados com seu sangue" (Hebreus 7:25 - tradução livre). Cristo intercede por nós incessantemente.

Jesus triunfa sobre a culpa do diabo com palavras de graça.

> [Deus] deu-nos vida juntamente com Cristo, quando ainda estávamos mortos em transgressões — pela graça vocês são salvos. Deus nos ressuscitou com Cristo e com ele nos fez assentar nos lugares celestiais em Cristo Jesus, para mostrar, nas eras que hão de vir, a incomparável riqueza de sua graça, demonstrada em sua bondade para conosco em Cristo Jesus. Pois vocês são salvos pela graça, por meio da fé, e isto não vem de vocês, é dom de Deus; não por obras, para que ninguém se glorie. Porque somos criação de Deus realizada em Cristo Jesus para fazermos boas obras, as quais Deus preparou antes para que nós as praticássemos. (Efésios 2:5-10)

Contemple o fruto da graça: salvo por Deus, ressuscitado por Deus, assentado com Deus. Dotado, equipado e autorizado. Adeus, condenações terrenas: *Estúpido. Improdutivo. Aprendiz lento. Falante rápido. Covarde. Muquirana.* Chega. Você é quem ele diz que você é: *Espiritualmente vivo. Divinamente posicionado. Conectado com Deus. Um quadro de misericórdia.* Um filho honrado. Esse é o "perdão poderoso que chamo 'graça'" (Romanos 5:20 MSG).

Satanás é deixado sem palavras e sem munição.

"Quem fará alguma acusação contra os escolhidos de Deus? É Deus quem os justifica. Quem os condenará? Foi Cristo Jesus que morreu; e mais, que ressuscitou e está à direita de Deus, e também intercede por nós" (Romanos 8:33,34). As acusações de Satanás estouram e caem como um balão sem ar.

Então, diga, por que ainda as ouvimos? Por que nós, como cristãos, ainda sentimos culpa?

Nem toda culpa é ruim. Deus usa doses apropriadas de culpa para nos despertar para o pecado. Sabemos que a culpa é dada por Deus quando causa "indignação... temor... saudade... preocupação... desejo de ver a justiça feita" (2Coríntios 7:10). A culpa de Deus traz pesar o suficiente para nos mudar.

A culpa de Satanás traz pesar o suficiente para nos escravizar. Não deixe que ele o acorrente.

Lembre-se: "sua vida está escondida com Cristo em Deus" (Colossenses 3:3). Quando ele olha para você, ele vê primeiro a Jesus. Na língua chinesa, a palavra para *justiça* é uma combinação de dois caracteres, a figura de um cordeiro e uma pessoa. O cordeiro está em cima, cobrindo a pessoa. Sempre que Deus olha lá de cima para você, é isso que ele vê: o cordeiro perfeito de Deus lhe cobrindo. Tudo se resume a esta escolha: você confia em seu advogado ou em seu acusador?

Sua resposta tem sérias implicações. Teve para Jean Valjean. Victor Hugo apresentou-nos esse personagem no clássico *Os miseráveis*. Valjean surge primeiramente como um vagabundo. Um prisioneiro de meia-idade recém-libertado, vestindo calças gastas e um casaco surrado. Dezenove anos em uma prisão francesa deixaram-no rude e destemido. Caminhara por quatro dias no frio alpino no sudoeste francês do século 19, somente para descobrir que nenhuma pensão o aceitaria, nenhuma taverna o alimentaria. Finalmente, bate à porta da casa de um bispo.

O monsenhor Myriel tem 75 anos. Como Valjean, também perdera muito. A revolução levara todos os bens valiosos de sua família, exceto a prataria, uma concha de sopa e dois castiçais. Valjean conta sua história, esperando que o religioso o mande embora. Mas o bispo é gentil. Pede ao visitante que se sente perto do fogo.

—"Você não precisa me contar quem você era", ele explica. "Essa não é minha casa — é a casa de Jesus Cristo."[1]

Depois de algum tempo, o bispo leva o ex-condenado à mesa, em que jantam sopa e pão, figos e queijo com vinho, usando a fina prataria do bispo.

Ele mostra o quarto a Valjean. Apesar do conforto, o ex-prisioneiro não consegue dormir. E mesmo com a bondade do bispo, ele não consegue resistir à tentação. Coloca a prataria na sacola. Monsenhor Myriel dorme no momento do roubo e Valjean foge durante a noite.

Mas não consegue ir muito longe. Os policiais o capturam e o conduzem à casa do bispo. Valjean sabe o que significa a captura — prisão para o resto da vida. Porém, algo maravilhoso acontece. Antes de o policial poder explicar o crime, o monsenhor se adianta:

— Oh, aqui está você! Estou contente em vê-lo. Não acredito que tenha esquecido os castiçais. Eles também são feitos de prata pura... Leve-os com os garfos e as colheres que dei a você.

Valjean fica atônito. O bispo dispensa os policiais, vira-se e diz:

— Jean Valjean, meu irmão, você não mais pertence ao mal; mas, sim, ao bem. Comprei sua alma de você. Tomo-a de volta dos pensamentos e feitos malignos e do espírito do inferno e dou-a a Deus.[2]

Valjean tinha uma escolha: acreditar no sacerdote ou acreditar em seu passado. Jean Valjean acredita no sacerdote. Torna-se prefeito de uma cidadezinha. Constrói uma fábrica e dá emprego aos pobres. Fica com pena de uma mãe moribunda e cria a filha dela.

A graça o mudou. Deixe que ela mude você também. Não dê nenhuma atenção à voz de Satanás. Você tem um "Advogado junto ao Pai, Jesus Cristo, o Justo" (1João 2:1 ARA). Como seu "Advogado, ele o defende e diz: "Não há condenação para os que estão em Cristo Jesus" (Romanos 8:1). Segura essa, Satanás!

Não foi essa a mensagem de Jesus para a mulher?

"'Mulher, onde estão eles? Ninguém a condenou?'

'Ninguém, Senhor', disse ela.

Declarou Jesus: 'Eu também não a condeno. Agora vá e abandone sua vida de pecado.'" (João 8:10,11)

Em minutos o tribunal estava vazio. Jesus, a mulher, os seus acusadores — todos foram embora. Mas ponderemos. Observe as pedras no solo, abandonadas e não utilizadas. E observe o escrito na areia. Foi o único sermão que Jesus escreveu. Apesar de não sabermos as palavras, fico pensando se não foram estas: *A graça acontece aqui.*

Capítulo 3

Oh, doce troca

"O Senhor é a nossa Justiça."
— Jeremias 23:6

O Senhor fez cair sobre ele a iniquidade de todos nós.
— Isaías 53:6

Jesus Cristo é o que Deus faz e a cruz é onde Deus o fez.
— Frederick Buechner

O cristianismo não é o sacrifício que fazemos,
mas o sacrifício em que confiamos.
— P. T. Forsyth

Assim como é precioso proclamar "Cristo morreu pelo mundo", é ainda mais doce sussurrar "Cristo morreu por mim".

A cela da prisão de Barrabás tem uma única janela do tamanho de um rosto, aproximadamente. Barrabás olhou através dela uma única vez. Quando viu o monte da execução, sentou-se no chão, encostou-se na parede e puxou os joelhos de encontro ao peito. Isso foi há uma hora. Ele não se moveu desde então.

Ele não falou desde então.

Estranho vindo dele. Barrabás era um homem de muitas palavras. Quando os guardas vieram transferi-lo de alojamento ao nascer do sol, ele disse, orgulhoso, que seria um homem livre antes do meio-dia. Ao ser levado à cela, rogou pragas aos soldados e zombou do César deles.

Mas, desde que chegou, não emitiu nenhum som. Não tinha alguém com quem falar, em primeiro lugar. Nada a dizer, em segundo. Por toda sua ousadia e fanfarrice, ele sabia que seria crucificado ao meio-dia, e morto ao pôr do sol. O que há para ser dito? A cruz, os pregos, a morte torturante — ele sabe o que o espera.

A alguns metros de sua pequena cela, na Fortaleza Antônia, uma aglomeração não muito pequena de homens murmura em desaprovação. Principalmente os líderes religiosos. Um bando de barbas e túnicas e rostos severos. Cansados e zangados. Nos degraus acima deles, um patrício romano e um galileu difamado. O primeiro homem gesticula ao segundo e apela para a multidão.

> "Vocês me trouxeram este homem como alguém que estava incitando o povo à rebelião. Eu o examinei na presença de vocês e não achei nenhuma base para as acusações que fazem contra ele. Nem Herodes, pois ele o mandou de volta para nós.

> Como podem ver, ele nada fez que mereça a morte. Portanto, eu o castigarei e depois o soltarei."
>
> A uma só voz eles gritaram: "Acaba com ele! Solta-nos Barrabás!" (Barrabás fora jogado na prisão por uma revolta na cidade e por assassinato.) (Lucas 23:14-16,18,19)

Essa última sentença explica Barrabás: rebelde e assassino. Raiva no coração e sangue nas mãos. Desafiador. Violento. Desordeiro. Homicida. Ele é culpado e orgulha-se disso. Pilatos, o governador romano, deveria tratar esse homem com graça? A multidão acredita que sim. Além disso, eles queriam que Pilatos executasse Jesus no lugar dele, um homem a cerca de quem Pilatos declara: "nada fez que mereça a morte".

Pilatos não é fiel a Jesus. Os galileus não significavam nada para ele. Se Jesus é culpado, ele que pague pelo seu crime. O governador deseja crucificar um homem culpado. Mas um inocente?

Jesus pode merecer uma lição de moral, até mesmo umas chibatadas, mas não a cruz. Pilatos faz umas quatro tentativas para soltar Jesus. Pede para que os judeus resolvam a questão (João 18:28-31). Passa o problema para Herodes (Lucas 23:4-7). Tenta persuadir os judeus a aceitarem Jesus como o prisioneiro solto na festa da Páscoa (Pessach) (Marcos 15:6-10). Oferece um acordo: castigo em vez de execução (Lucas 23:22). Ele faz tudo o que pode para soltar Jesus. Por quê? "Não acho nele motivo algum de acusação" (João 18:38).

Com essas palavras, o governador transforma-se em um teólogo involuntário. Ele é o primeiro a declarar o que Paulo registraria posteriormente: Jesus "não tinha pecado" (2Coríntios 5:21). No mesmo nível de importância do fato de Jesus ter caminhado sobre as águas, ressuscitado mortos e curado lepra, está esta grandiosa verdade: ele nunca pecou. Não é que ele não pudesse pecar, mas que ele nunca pecou. Ele poderia ter partido o pão com o diabo no deserto ou ter rompido com o Pai no Getsêmani. "[Ele] passou por todo tipo de tentação, porém, sem pecado" (Hebreus 4:15).

Jesus era o modelo de Deus de um ser humano. Sempre honesto no meio da hipocrisia. Implacavelmente gentil em um mundo de crueldade. Focado nos céus apesar das incontáveis distrações. Quanto a pecados, Jesus nunca cometeu nenhum.

Nós, por outro lado, nunca paramos de cometer. Estamos "mortos em transgressões e pecados" (Efésios 2:1). Estamos "perdidos" (Lucas 19:10), destinados a "perecer" (João 3:16), sob "a ira de Deus" (João 3:36), "cegos" (2Coríntios 4:3,4) e "estrangeiros quanto às alianças da promessa, sem esperança e sem Deus no mundo" (Efésios 2:12). Não temos nada de bom para oferecer. Nossos melhores feitos são "esterco" e "trapos" perante um Deus sagrado (Filipenses 3:8; Isaías 64:6). Chame-nos de Barrabás.

Ou chame-nos de "perdidos." John Newton chamou. Lembra-se do descritor em seu famoso hino? "Preciosa a graça de Jesus, que um dia me salvou. Perdido andei, sem ver a luz, mas Cristo me encontrou."

Essas palavras soam tão antiquadas. O pecado seguiu o caminho das perucas e das bombachas. Atualmente, ninguém é realmente iníquo, certo? Desorientado, com ascendência pobre, infeliz, viciado, indevidamente arrogante, mas perdido? O senhor exagerou, sr. Newton.

Ou não? Leia a definição de um parágrafo de Jesus sobre o pecado.

> Certo homem de uma família importante foi para um país que ficava bem longe, para lá ser feito rei e depois voltar. Antes de viajar, chamou dez dos seus empregados, deu a cada um uma moeda de ouro e disse: "Vejam o que vocês conseguem ganhar com este dinheiro, até a minha volta." Acontece que o povo do seu país o odiava e por isso mandou atrás dele uma comissão para dizer que não queriam que aquele homem fosse feito rei deles. (Lucas 19:12-14 NTLH)

Pecar é declarar: "Deus, eu não quero que sejas meu rei. Prefiro um reino sem rei. Ou, melhor ainda, um reino em que eu seja o rei."

Imagine se alguém fizesse isso com você. Suponha que você faça uma longa viagem e deixe sua casa sob a supervisão de um caseiro. Você confia a ele todos os seus bens. Enquanto você está fora, ele se muda para sua casa e se apossa de todas as suas coisas.

Ele grava o próprio nome na sua caixa de correspondência, e muda as suas contas para o nome dele. Coloca os pés sujos na sua mesinha de centro e convida os amigos para dormir na sua cama. Reivindica autoridade e envia esta mensagem a você: "Não volte. Estou administrando as coisas agora."

A palavra da Bíblia para isso é *pecado*. O pecado não é um lapso lamentável ou um tropeço ocasional. O pecado arma um golpe contra o regime de Deus. O pecado ataca o castelo, reivindica o trono de Deus e desafia a autoridade dele. O pecado grita "quero administrar minha própria vida, muito obrigado!" O pecado pede a Deus que saia, suma e não volte. O pecado é a insurreição à ordem mais elevada e você é um rebelde. Eu também sou. Assim como toda pessoa que respira.

Uma das acusações mais dolorosas à humanidade pode ser encontrada em Isaías 53:6: "Todos nós, tal qual ovelhas, nos desviamos, cada um de nós se voltou para o seu próprio caminho." O seu caminho pode ser a embriaguez, meu caminho a ganância, o caminho de outra pessoa pode ser o estímulo sensual ou a autopromoção religiosa, mas todos já tentaram seu próprio caminho sem Deus. Não é que alguns de nós tenhamos nos rebelado. Todos nos rebelamos. "Não há nenhum justo, nem um sequer; não há ninguém que entenda, ninguém que busque a Deus. Todos se desviaram, tornaram-se juntamente inúteis; não há ninguém que faça o bem, não há nem um sequer" (Romanos 3:10-12).

Essa é uma verdade impopular, porém essencial. Todos os navios que aportam na praia da graça levantam âncora do porto do pecado. Devemos começar por onde Deus começa. Não apreciamos o que a graça faz até que compreendemos quem somos. Somos rebeldes. Somos Barrabás. Como ele, merecemos morrer. Somos cercados pelas quatro paredes de prisão, engrossadas por medo, dor e ódio. Estamos encarcerados pelo passado, pelas escolhas dos caminhos mais difíceis e pelo orgulho. Fomos julgados culpados.

Sentamos no chão da cela empoeirada, esperando pelo momento final. Os passos do nosso carrasco ecoam contra as paredes de pedra. Cabeça entre os joelhos, não olhamos para cima quando ele abre a porta; não levantamos nossos olhos quando ele começa a falar. Sabemos o que ele vai dizer. "Hora de pagar pelos seus pecados." Mas ouvimos algo mais.

"Você está livre. Pegaram Jesus no seu lugar."

A porta se abre, os guardas gritam: "Saia", e nos encontramos à luz do sol da manhã, sem algemas, crimes perdoados, nos perguntando: "O que acabou de acontecer?"

A graça aconteceu.

Cristo retirou seus pecados. Para onde ele os levou? Para o alto do monte Calvário, onde ele suportou não apenas os cravos dos romanos, a zombaria da multidão e a lança do soldado, como também a ira de Deus.

Encha seu coração com o melhor resumo da maior realização de Deus: "Deus, em sua infinita bondade, nos declara inocentes, através de Cristo Jesus, que nos libertou dos nossos pecados. *Deus enviou Jesus para receber o castigo por nossos pecados* e para aplacar a sua ira contra nós. Nós nos tornamos unidos com Deus quando cremos que Jesus derramou o seu sangue, dando a sua vida por nós". (Romanos 3:24,25 - tradução livre, grifo meu)

Deus não ignorou seus pecados, para que não suceda que concorde com eles. Ele não puniu você, para que não suceda dele destruir você. Em vez disso, ele encontrou uma maneira de punir o pecado e preservar o pecador. Jesus assumiu sua punição e Deus deu a você o crédito pela perfeição de Jesus.

Não sabemos como o primeiro Barrabás respondeu ao presente da liberdade. Talvez ele tenha rejeitado por orgulho ou recusado por vergonha. Não sabemos. Mas podemos determinar o que fazer com o nosso Barrabás. Personalizá-lo.

Enquanto a cruz for um presente de Deus ao mundo, ela tocará em você, mas não o mudará. Assim como é precioso proclamar "Cristo morreu pelo mundo", é ainda mais doce sussurrar "Cristo morreu por *mim*".

"Morreu pelos *meus* pecados."

"Assumiu *meu* lugar na cruz."

"Carregou *meus* pecados, a crueldade de hoje."

"Pela cruz, ele *me* reivindicou, purificou e chamou."

"Ele sentiu *minha* vergonha e falou *meu* nome."

Seja o Barrabás que diz "Obrigado". Agradeça a Deus pelo dia em que Jesus assumiu seu lugar, pelo dia em que a graça aconteceu a você.

Capítulo 4

Você pode descansar agora

A promessa de Deus chega como um presente. É o
único modo de garantir a participação nela.
— Romanos 4:16 MSG

Um homem com as mãos cheias de pacotes
não pode receber um presente.
— C. S. Lewis

A única função da fé é receber o que a graça oferece.
— John Stott

Nossos méritos não merecem nada.
O trabalho de Deus é que merece todo o mérito.

Você está cansado. Fadiga não é uma palavra estranha. Você conhece muito bem seus frutos: olhos queimando, ombros curvados, espírito triste e pensamentos robóticos. Você está cansado.

Nós estamos cansados. Um povo cansado. Uma geração cansada. Uma sociedade cansada. Competimos. Corremos. As semanas de trabalho arrastam-se como os invernos do Ártico. As manhãs de segunda-feira surgem na noite de domingo. Nos arrastamos por longas filas e longas horas com rostos distantes devido às longas listas de coisas que precisamos fazer, aparelhos que queremos comprar, ou pessoas que tentamos agradar. Grama para cortar. Ervas daninhas para arrancar. Dentes para limpar. Fraldas para trocar. Tapetes, filhos, canários — tudo requer nossa atenção.

O governo quer mais impostos. As crianças querem mais brinquedos. O chefe, mais horas. A escola, mais voluntários. O cônjuge, mais atenção. Os pais, mais visitas. E a igreja, ah, a igreja. Já mencionei a igreja? Servir mais. Orar mais. Participar mais. Promover mais. Ler mais. O que você pode dizer? Eles falam por Deus.

Toda vez que recuperamos o fôlego, alguém precisa de algo. O mestre de obras pede outro tijolo para a mais nova pirâmide.

"Prepare aquele barro, hebreu!"

Sim, aí está ele. Seu ancestral. O escravo hebreu seminu, ombros encurvados, empilhador de tijolos do Egito. Fale sobre cansaço! Os condutores dos escravos estalavam chicotes e gritavam comandos. Para quê? Para que o Faraó, com seu ego do tamanho do Nilo, ostentasse outra pirâmide, apesar de seus dedos nunca terem desenvolvido nem um calo ou erguido uma palha sequer.

Mas, então, Deus interveio. "Eu sou o SENHOR. Eu os livrarei do trabalho imposto pelos egípcios. Eu os libertarei da escravidão e os resgatarei com braço forte e com poderosos atos de juízo" (Êxodo 6:6).

Ele ousou! Abriu o Mar Vermelho como uma cortina e fechou-o como mandíbulas de um tubarão. Transformou o exército do Faraó em comida de peixe e os hebreus em sócios-fundadores da Terra do Nunca Mais. Nunca mais tijolos, barro, cimento e palha. Nunca mais trabalho forçado, monótono e insignificante. Foi como se todo o céu gritasse: "Vocês podem descansar agora."

E assim fizeram. Um milhão de pares de pulmões suspiraram. Eles descansaram. Por aproximadamente um centímetro e meio. Esse é o espaço entre os capítulos 15 e 16 do livro do Êxodo. O tempo entre esses capítulos é de aproximadamente um mês. Em algum lugar nessa lacuna de um centímetro e meio, os israelitas decidiram que queriam voltar à escravidão. Lembraram-se das iguarias dos egípcios. Não tinham mais do que cozidos de ossos, mas a nostalgia não se prende a detalhes. Falaram, então, a Moisés que queriam voltar para a terra de trabalho, suor e costas machucadas.

A resposta de Moisés? "Vocês ficaram malucos! Alguém os enfeitiçou? Perderam o juízo?" (Gálatas 3:1 MSG).

Ops, me enganei. Essas são as palavras de Paulo, não de Moisés. Palavras para os cristãos, não para os hebreus. Novo Testamento, não Antigo. Século 1 d.C., não século 13 a.C. Erro compreensível, porém, pois os cristãos da época de Paulo comportavam-se como os hebreus da época de Moisés. Ambos foram redimidos, mas ainda assim viravam as costas à liberdade.

A segunda redenção ofuscou a primeira. Deus não enviou Moisés, enviou Jesus. Ele destruiu não o Faraó, mas Satanás. Não com dez pragas, mas com uma única cruz. O Mar Vermelho não se abriu, mas a sepultura, sim, e Jesus liderou todos aqueles que queriam segui-lo à Terra do Nunca Mais. Sem mais preservação da lei. Nunca mais lutar pela aprovação de Deus. "Vocês podem descansar agora", disse a eles.

E assim fizeram. Por aproximadamente catorze páginas, que é a distância, na minha Bíblia, entre o sermão de Pedro em Atos 2 e a reunião da igreja em Atos 15. No primeiro caso, a graça foi pregada. No segundo, a graça foi questionada. Não é que as pessoas não acreditassem na graça de modo algum. Elas acreditavam. Acreditavam muito na graça. Elas apenas não acreditavam na graça simplesmente. Queriam complementar o trabalho de Cristo.

Os cheios de graça acreditam muito na graça. Jesus quase terminou o trabalho de salvação, argumentam eles. Em um barco a remo chamado *Rumo ao Céu*, Jesus rema a maior parte do tempo. Mas, às vezes, ele precisa de nossa ajuda. Então, a fornecemos. Acumulamos boas obras da mesma maneira que escoteiros acumulam medalhas de mérito.

Eu deixava a minha pendurada em meu armário, não para escondê-la, mas para que eu pudesse vê-la. Nenhuma manhã era completa sem uma olhadela satisfeita nessa condecoração de conquista. Se você já ganhou uma medalha de mérito dos escoteiros, sabe a afeição que eu sentia por ela.

Cada um daqueles emblemas ovais recompensava meu trabalho árduo. Eu atravessei um lago remando para ganhar a medalha de canoagem, nadei voltas para ganhar a medalha de natação e esculpi um totem para ganhar uma medalha de trabalho em madeira. Podia ter algo mais gratificante do que ganhar medalhas?

Sim. Exibi-las. Era o que eu fazia todas as quintas-feiras, quando os escoteiros usavam seus uniformes na escola. Eu caminhava pelo campus como se fosse o rei da Inglaterra.

O sistema de medalhas de mérito põe ordem na vida. As conquistas resultam em compensação. As conquistas recebem aplausos. Os garotos me invejavam. As garotas ficavam em êxtase. Minhas colegas de sala mantinham as mãos afastadas de mim com extremo autocontrole. Eu sabia que estavam ansiosas para pegar minha medalha de sinalização e pedir-me para soletrar o nome delas usando Código Morse.

Tornei-me cristão mais ou menos na mesma época em que me tornei um escoteiro e deduzi que Deus classificava pessoas por meio de um sistema de mérito. Escoteiros bons são promovidos. Pessoas boas vão para o céu.

Então, decidi acumular uma grande quantidade de medalhas espirituais. Uma Bíblia enfeitada para ler. Mãos unidas para a oração. Uma criança dormindo no banco da igreja durante um culto. Na minha imaginação, anjos bordavam calorosamente insígnias com meu nome. Eles mal conseguiam acompanhar o meu desempenho e se perguntavam se uma fita seria suficiente. "O garoto Lucado está cansando meus dedos!" Eu trabalhava para o dia, o grande dia, em que Deus, entre confetes e querubins dançantes, colocaria a medalha com a fita no meu peito e me saudaria em seu Reino eterno, onde eu poderia humildemente mostrar minhas medalhas por toda a eternidade.

Mas surgiam algumas questões complicadas. Se Deus salva as pessoas boas, o quanto é suficiente ser "bom"? Deus espera integridade do discurso, mas quanto? Qual é o percentual permitido de exagero? Suponhamos que a pontuação necessária seja oitenta e eu alcance 79. Como sabemos qual é a pontuação?

Busquei o conselho de um pastor. Com certeza ele me ajudaria a responder à pergunta: "O quanto ser bom é suficiente?" Ele respondeu com uma palavra: "faça." Faça melhor. Faça mais. Faça agora. "Faça o bem, e você ficará OK." "Faça mais e você será salvo." "Faça certo e você ficará bem."

Faça.

Seja.

Faça. Seja. Faça.

Faça-seja-faça-seja-faça.

Conhece a letra? Deveria. A maioria das pessoas se apega à suposição de que Deus salva as pessoas boas. Então, seja bom! Seja correto. Seja honesto. Seja decente. Reze o rosário. Guarde o sábado. Mantenha suas promessas. Ore cinco vezes ao dia em direção ao leste. Fique sóbrio. Pague impostos. Ganhe medalhas de mérito.

E, mesmo assim, com toda essa conversa sobre ser bom, ninguém consegue responder à pergunta fundamental: que quantidade de bondade é boa o bastante? Bizarro. Nosso destino eterno está em jogo; mesmo assim, estamos mais confiantes com relação às receitas de lasanha do que com os requerimentos para a entrada no céu.

Deus tem uma ideia melhor: "Vocês são salvos pela graça, por meio da fé, e isto não vem de vocês, é dom de Deus" (Efésios 2:8). Não contribuímos com nada. Nadica de nada. Ao contrário da medalha de mérito do escotismo, a salvação da alma não é adquirida. Um presente. Nossos méritos não merecem nada. O trabalho de Deus é que merece todo o mérito.

Esta foi a mensagem de Paulo aos cheios de graça. Imagino o seu rosto vermelho, os punhos cerrados e as veias saltando no pescoço. "Cristo nos redimiu dessa vida amaldiçoada de derrotas, quando ele mesmo a absorveu" (Gálatas 3:13 MSG). Tradução: "Diga não às pirâmides e aos tijolos. Diga não às regras e às listas! Diga não à escravidão. Diga não ao Egito. Jesus redimiu você. Você sabe o que isso significa?!"

Aparentemente eles não sabiam.

E você?

Caso não saiba, eu sei o motivo de sua fadiga. Você precisa confiar na graça de Deus.

Siga o exemplo dos mineiros chilenos. Presos debaixo de seiscentos metros de rocha sólida, os 33 homens estavam desesperados. O colapso de um túnel principal selara a saída e os empurrara para o modo de sobrevivência. Comiam duas colheres de atum, uma porção de pêssegos e tomavam um gole de leite — a cada dois dias. Por dois meses, oraram para que alguém os salvasse.

Na superfície, acima deles, a equipe de resgate chilena trabalhava sem parar, consultando a NASA, encontrando-se com especialistas. Eles criaram uma cápsula de quatro metros de altura e perfuraram, primeiro, um buraco de comunicação; depois, um túnel de escavação. Não havia garantia de sucesso. Ninguém jamais ficara preso debaixo da terra todo esse tempo e vivera para contar a história.

Dessa vez, alguém sobreviveu.

Em 13 de outubro de 2010, os homens começaram a subir, cumprimentando-se e entoando cantos de vitória. Um que era bisavô. Um de 44 anos que estava planejando um casamento. Depois, um de dezenove anos. Todos tinham histórias diferentes, mas todos tomaram a mesma decisão. Acreditaram que alguém os salvaria. Nenhum deles respondeu à oferta de resgate com uma declaração de independência: "Eu consigo sair daqui sozinho. Apenas dê-me uma nova broca." Eles olharam para a sepultura de pedra tempo suficiente para chegar a uma opinião unânime: "Precisamos de ajuda. Precisamos de alguém que penetre neste mundo e nos tire daqui." E quando a cápsula de resgate chegou eles subiram.

Por que é tão difícil para nós fazermos o mesmo?

Achamos mais fácil acreditar no milagre da ressurreição do que no milagre da graça. Temos tanto medo de fracassar que criamos a imagem da perfeição, com medo de que o céu esteja mais desapontado conosco do que nós estamos. O resultado? A pessoa mais exausta da terra.

As tentativas de autossalvação não levam a nada, a não ser à exaustão. Corremos e nos apressamos, tentando agradar a Deus, colecionando medalhas de mérito e pontos extras e franzindo a testa a qualquer um que questione nossas conquistas. Chamam-nos de "a igreja dos rostos de cães de caça e ombros caídos".

Pare com isso! De uma vez por todas, chega desse frenesi. "É bom sermos espiritualmente fortes por meio da graça de Deus, e não por meio da obediência a regra" (Hebreus 13:9 NTLH). Jesus não diz: "Venham a mim, todos os que são perfeitos e sem pecados." Totalmente o oposto. "Venham a mim todos os que estão cansados e sobrecarregados, e eu lhes darei descanso" (Mateus 11:28).

Não há letras miúdas. Não vai perder o outro sapato. A promessa de Deus não tem linguagem subliminar. Deixe que a graça aconteça, por favor. Chega de atuação para Deus, chega de gritar atrás de Deus. De todas as coisas que você deve adquirir na vida, a afeição ilimitada de Deus não é uma delas. Você já a tem. Espreguice-se na rede da graça.

Você pode descansar agora.

Capítulo 5

Pés molhados

Sejam bondosos e compassivos uns para com os outros,
perdoando-se mutuamente, assim como
Deus perdoou vocês em Cristo.
— Efésios 4:32

Deus inventou o perdão como a única maneira de manter
vivo o seu romance com a decaída família humana.
— Lewis Smedes

Se você não transformar sua dor,
certamente irá propagá-la.
— Richard Rohr

Aceitar a graça é aceitar o compromisso de dá-la.

Se mágoas fossem pelos, pareceríamos um urso cinzento. Até mesmo as belas mulheres de pele aveludada das capas de revista, os serenos pastores no púlpito, a doce senhora que mora ao lado. Todos eles. Todos nós. Seríamos todos bestas peludas. Se mágoas fossem pelos, estaríamos escondidos por trás da espessura deles.

Afinal, não há muitas? Tantas mágoas. Quando as crianças zombam do jeito que você caminha, esses insultos magoam. Quando os professores ignoram seu trabalho, essa negligência magoa. Quando sua namorada termina com você, quando seu marido a abandona, quando a empresa lhe demite, tudo isso magoa. A rejeição sempre magoa. Tão certo como o verão traz o sol, as pessoas trazem a dor. Algumas vezes de maneira deliberada. Algumas vezes de maneira aleatória.

Victoria Ruvolo pode falar sobre a dor aleatória. Em uma noite de novembro, em 2004, essa nova-iorquina de 44 anos estava dirigindo, voltando para sua casa em Long Island. Tinha acabado de assistir ao recital da sobrinha e estava pronta para relaxar no sofá, na frente da lareira.

Ela não se lembra de ter visto o Nissan prata se aproximando do leste. Ela não se lembra do garoto de dezoito anos inclinando-se para fora da janela, segurando um peru congelado. Ele jogou-o no para-brisa dela.

A ave de nove quilos atravessou o vidro, entortou a direção e estraçalhou o rosto dela como um prato de jantar no concreto. A violenta brincadeira a deixou na UTI, lutando pela vida. Ela sobreviveu, mas somente depois que os médicos colocaram fios em sua mandíbula, prenderam um dos seus olhos com película sintética e colocaram pinos de titânio em seu crânio. Ela não consegue se olhar no espelho sem se lembrar da dor.[1]

Você não foi atingido por um peru, mas você se casou com um, trabalha para um, foi deixado por um. Agora, para onde você se volta? Assassinoprofissional.com? Jim Beam e amigos? Serviço de Buffet da Festa da Piedade?

Podemos relacionar isso com a reação de alguns soldados dos Estados Unidos no Afeganistão. Um membro da tropa recebeu uma carta de despedida. Ele ficou devastado. Para acrescentar um insulto ao dano, a garota escreveu: "Por favor, devolva minha foto favorita porque eu gostaria de usá-la para o anúncio do meu noivado no jornal da cidade."

Ai! Mas seus parceiros vieram em sua defesa. Passaram por todas as tendas e arrecadaram fotos das namoradas de todos os soldados. Encheram uma caixa de sapatos. O soldado enviou as fotos para a ex-namorada com este bilhete: "Por favor, encontre sua foto e devolva o resto. Não consigo lembrar de qual delas é você, de jeito nenhum."[2]

A retaliação tem seu apelo. Mas Jesus tem uma ideia melhor.

João 13 recorda os eventos da última noite antes da morte de Jesus. Ele e seus seguidores reuniram-se no cenáculo para a Páscoa dos judeus (Pessach). João começa a narrativa com uma declaração sublime: "Jesus sabia que o Pai havia colocado todas as coisas debaixo do seu poder, e que viera de Deus e estava voltando para Deus" (João 13:3).

Jesus conhecia o propósito de sua vida. Quem era ele? O Filho de Deus. Por que ele estava na terra? Para servir ao Pai. Jesus conhecia a própria identidade e autoridade, "assim, levantou-se da mesa, tirou sua capa e colocou uma toalha em volta da cintura. Depois disso, derramou água numa bacia e começou a lavar os pés dos seus discípulos, enxugando-os com a toalha que estava em sua cintura" (João 13:4,5).

Jesus — diretor executivo, treinador titular, rei do mundo, soberano dos mares — lavou pés.

Não sou um fã de pés. Olhá-lo no rosto? Farei. Apertar sua mão? Com prazer. Colocar um braço em volta de seus ombros? Com satisfação. Secar uma lágrima do rosto de uma criança? Em um piscar de olhos. Mas lavar pés? Qual é?!

Pés têm cheiro ruim. Ninguém cria uma colônia com o nome de "Pé de Atleta Deluxe" ou "Almíscar de Meias de Ginástica". Os pés não são conhecidos por seu doce perfume.

Nem por sua boa aparência. Um executivo não mantém uma foto emoldurada dos pés de sua esposa em sua mesa. Avós não carregam fotos dos pés de seus netos. "Não são os pés mais bonitos que você já viu?" Queremos ver o rosto, não os pés.

Pés têm calcanhares. Pés têm unhas. Joanete e fungo. Calos. E verrugas na sola do pé. Algumas grandes o bastante para garantir o próprio CEP. Perdoem-me vocês da sociedade da sola do pé, mas não faço parte do grupo. Pés cheiram mal e são feios, o que, acredito eu, seja o ponto dessa história.

Jesus tocou as partes malcheirosas e feias dos discípulos. Sabendo que veio de Deus. Sabendo que iria para Deus. Sabendo que poderia arquear uma sobrancelha ou limpar a garganta que todos os anjos do universo ficariam alertas. Sabendo que toda autoridade era sua, trocou a capa pela vestimenta do servo, ajoelhou-se e começou a limpar a fuligem, a areia e a sujeira que os pés deles haviam juntado durante a jornada.

Essa era a tarefa do escravo, o trabalho do servo. Quando o senhor chegava em casa, depois de um dia caminhando pelas ruas de pedra, ele esperava um lava-pés. O servo mais inferior encontrava-o à porta com uma toalha e água.

Mas no cenáculo não havia nenhum servo. Jarro de água? Sim. Bacia e toalha? No canto da mesa. Mas ninguém tocou nelas. Ninguém mexeu. Cada discípulo ficou esperando que outro pegasse a bacia. Pedro achava que João faria. João achava que André faria. Cada apóstolo deduzia que outro lhe lavaria os pés.

E alguém o fez.

Jesus não excluiu um único seguidor. Mas nós não o culparíamos caso ele tivesse passado por Felipe. Quando Jesus disse aos discípulos que alimentassem as cinco mil pessoas, Felipe replicou: "Impossível!" (consulte João 6:7). Então, o que Jesus faz com quem questiona seus mandamentos? Aparentemente, ele lava os pés do questionador.

Tiago e João buscavam posições elevadas no Reino de Cristo. Portanto, o que Jesus faz quando as pessoas usam seu Reino para progresso pessoal? Ele desliza uma bacia na direção delas.

Pedro parou de confiar em Cristo durante a tempestade. Ele tentou dissuadir Cristo de ir para a cruz. Em algumas horas, Pedro negaria o nome de Jesus e fugiria para se esconder. Na verdade, todos os 24 pés dos "seguidores" de Jesus logo fugiriam, deixando-o sozinho para encarar os acusadores. Você já imaginou o que Deus faz com os que quebram promessas? Lava seus pés.

E Judas. O rato mentiroso, conivente e ganancioso, que vendeu Jesus por um saco de dinheiro. Jesus não vai lavar os pés dele, vai? Certamente esperamos que não. Se ele lavar os pés do Judas dele, você terá que lavar os pés do seu. Do seu traidor. Daquele vilão que não presta para nada, que nunca faz nada certo. O Judas de Jesus foi embora com trinta moedas de prata. O seu Judas fugiu com sua virgindade, segurança, emprego, infância, aposentadoria, investimentos.

Você espera que eu lave os pés dele e o deixe ir?

A maioria das pessoas não quer isso. Elas usam a foto do vilão como alvo de dardos. O Vesúvio deles explode de vez em quando, espalhando ódio pelo ar, poluindo e produzindo mau cheiro no mundo. A maioria das pessoas mantém a raiva em fogo baixo.

Mas você não é "a maioria das pessoas." A graça aconteceu para você. Olhe para seus pés. Estão molhados, encharcados de graça. Seus dedos, o peito dos pés e os calcanhares sentiram a água fresca da graça de Deus. Jesus lavou as partes mais encardidas de sua vida. Ele não passou reto por você e levou a bacia em direção a outra pessoa. Se a graça fosse um campo de trigo, ele deixaria para você o Estado do Kansas de herança. Você não pode compartilhar sua graça com os outros?

"Se eu, sendo Senhor e Mestre de vocês, lavei-lhes os pés, vocês também devem lavar os pés uns dos outros. Eu lhes dei o exemplo, para que vocês façam como lhes fiz" (João 13:14,15).

Aceitar a graça é aceitar o compromisso de dá-la.

Victoria Ruvolo fez isso. Nove meses depois da desastrosa noite de novembro, tendo o rosto com pinos de titânio, ela ficou frente a frente com o transgressor no tribunal. Ryan Cushing não era mais o garoto metido, atirador de peru, em um Nissan. Ele tremia, amedrontado e arrependido. Para a cidade de Nova York, ele se tornara o símbolo de uma geração de garotos fora de controle. As pessoas encheram a sala para vê-lo receber sua merecida punição. A sentença do juiz os deixou com raiva — somente seis meses atrás das grades, cinco anos de condicional, aconselhamento e serviço à comunidade.

A corte veio abaixo. Todos contestaram. Todos, exceto Victoria. A pena reduzida fora ideia dela. O garoto caminhou até ela e ela o abraçou. À vista de todo o júri e da multidão, ela o abraçou com força, alisou o cabelo dele. Ele chorou e ela falou: "Eu o perdoo. Quero que sua vida seja a melhor possível."[3]

Ela deixou que a graça moldasse sua resposta. "Deus me deu uma segunda chance na vida e eu estou passando-a adiante", diz ela sobre sua dávida.[4] "Se não tivesse deixado aquela raiva para trás, eu seria consumida por essa necessidade de vingança. Perdoá-lo me ajuda a seguir em frente."[5]

Esse infortúnio levou-a à sua missão: ser voluntária no departamento de condicional da cidade. "Estou tentando ajudar os outros, mas sei que, pelo resto de minha vida, serei conhecida como 'A Mulher do Peru'. Poderia ter sido pior. Ele poderia ter jogado um presunto. Eu seria a Senhorita Porca!"[6] Victoria Ruvolo sabe como encher uma bacia.

E você?

Construa uma prisão de medo se você quiser; cada mágoa um tijolo. Crie-a com uma cela e uma única cama. (Você não atrai colegas de quarto.) Pendure grandes telas de vídeo nas quatro paredes para que imagens gravadas da agressão sejam passadas repetidas vezes, 24 horas por dia. Fones de ouvido disponíveis. Apelativo? Não, amedrontador. Rancores guardados acabam com a alegria da vida. A vingança não pinta o céu de azul novamente nem restaura a primavera em seu caminho. Não. Vai deixá-lo amargo, curvado e com raiva. Dê a graça que você recebeu.

Você não está endossando os feitos de seu agressor quando faz isso. Jesus não endossou seus pecados ao perdoá-los. A graça não pede que a filha goste do pai que a molestou. Ela não pede ao oprimido que ignore a injustiça. A pessoa definida pela graça ainda envia ladrões para a prisão e espera que o ex-marido pague a pensão dos filhos.

A graça não é cega. Ela enxerga a mágoa muito bem. Mas a graça escolhe ver ainda mais o perdão de Deus. Ela se recusa a envenenar seu coração. "Cuidem que ninguém se exclua da graça de Deus. Que nenhuma raiz de amargura brote e cause perturbação, contaminando a muitos" (Hebreus 12:15). Onde há falta de graça, há amargura em abundância. Onde há graça em abundância, cresce o perdão.

Em 2 de outubro de 2006, por volta das 10 da manhã, Charles Carl Roberts entrou na West Nickel Mines Amish School, na Pensilvânia. Ele carregava um revólver 9mm, uma espingarda calibre 12, um rifle, um saco de pólvora, duas facas, ferramentas, uma arma de choque, seiscentos projéteis de munição, lubrificante sexual, fios e lacres de plástico. Usando os lacres de plástico, ele prendeu onze garotas, com idade de seis a quinze anos. Enquanto se preparava para atirar nelas, Marian Fisher, de treze anos, deu um passo à frente e disse: "Atire primeiro em mim." A irmã mais nova dela, Barbie, supostamente, pediu que Roberts atirasse nela em segundo lugar. Ele atirou em dez garotas. Depois, atirou em si mesmo. Três das garotas morreram imediatamente; outras duas morreram no hospital na manhã seguinte. A tragédia deixou o país chocado.

O perdão da comunidade Amish chocou ainda mais. Mais da metade das pessoas que foram ao funeral de Roberts eram Amish. Uma parteira Amish, que ajudara no nascimento de várias das garotas mortas pelo assassino, organizou-se para levar comida para a casa da família dele. Ela disse: "Isso é possível se você tiver Cristo no coração."[7]

A sequência faz diferença. Jesus lava primeiro; nós lavamos em seguida. Ele demonstra; nós seguimos. Ele usa uma toalha, depois estende-a para nós, dizendo: "Agora é sua vez. Atravesse seu cenáculo e lave os pés de seus Judas."

Portanto, vá em frente. Molhe seus pés. Tire as meias e os sapatos e coloque os pés na bacia. Primeiro um, depois o outro. Deixe que as mãos de Deus limpem toda sujeira de sua vida — desonestidade, adultério, acessos de raiva, hipocrisia, pornografia. Deixe-o tocar em tudo isso. Enquanto as mãos dele trabalham, olhe ao redor da sala.

O perdão pode não ser imediato. Mas ele pode acontecer com você. Afinal, você tem os pés molhados.

Capítulo 6

A graça à margem

"Louvado seja o SENHOR, que hoje
não a deixou sem resgatador!"
— Rute 4:14

Senhor, arrastei-me pelo deserto até a ti com
meu copo vazio... Se eu te conhecesse mais,
teria corrido até a ti com um balde.
— Nancy Spiegelberg

O evangelho débil anuncia: "Deus está pronto para
perdoar"; o evangelho poderoso anuncia "Deus redimiu."
— P. T. Forsyth

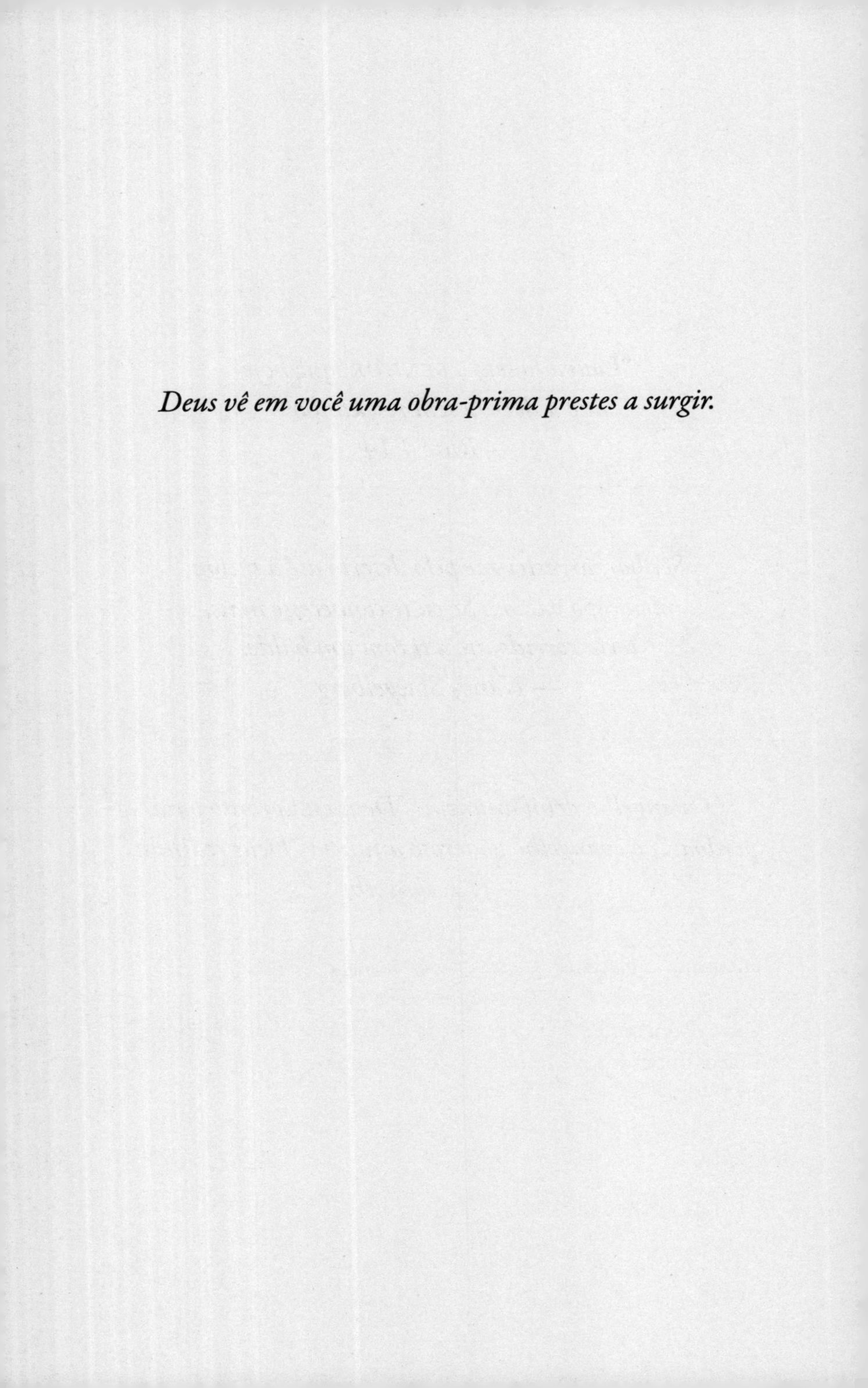

Deus vê em você uma obra-prima prestes a surgir.

Duas figuras elevaram-se no horizonte do deserto da Judeia. Uma delas, uma velha viúva. A outra, uma jovem. Rugas marcavam o rosto da primeira. A poeira da estrada enchia o rosto das duas. Elas, então, aninhavam-se uma à outra enquanto caminhavam, de modo que quem olhasse poderia achar que era apenas uma mulher, o que não seria um problema para Noemi e Rute, pois tudo o que tinham era uma à outra.

Dez anos antes, a fome levara Noemi e seu marido para fora de Belém. Eles saíram de sua terra e migraram para Moabe, um território inimigo. Ali encontraram solo fértil para cultivar e moças para casar com seus filhos. Porém, uma tragédia os assolou. O marido de Noemi morreu. Assim como os filhos dela. Noemi decidiu retornar a Belém, sua cidade natal. Rute, uma de suas noras, resolveu ir com ela.

As duas não podiam parecer mais dignas de pena quando entraram no vilarejo. Sem dinheiro. Sem posses. Sem filhos para criar ou terra para cultivar. No século 12 a.C. a segurança de uma mulher estava no marido e seu futuro era garantido pelos filhos. Essas duas viúvas não tinham nenhum dos dois. Teriam sorte de encontrar uma cama no Exército da Salvação.

Conheci Rute no domingo passado. Ela veio orar durante o culto. Pálida, magra, o rosto lavado de lágrimas, caminhou com os braços dobrados, apertando o peito como se o coração fosse cair se não o fizesse. Tinha um visual desarrumado: jeans, chinelos de dedo e cabelos despenteados. Vir até a igreja já era um desafio e tanto; esqueça a limpeza. Recentemente diagnosticada com lúpus, está sempre com dor. Contas atrasadas levaram o marido a aceitar um trabalho na Turquia. Ela e o filho estavam sozinhos há um ano. O filho era gótico. As conversas eram raras, e, quando aconteciam, ele falava sobre morte e demônios. O garoto comentara sobre suicídio na semana anterior.

A mãe nunca ouvira falar de Noemi ou de Rute, mas ela precisava.

Assim como o rapaz que se aproximou de mim no saguão de nossa igreja. Ele tinha aparência de um atleta da NBA. Meu pescoço doía quando olhava para ele. No entanto, ele nunca jogara basquete. Trabalhava como representante farmacêutico e as vendas estavam reduzidas a nada. Uma recessão nos últimos anos levou a demissões, cortes no orçamento e, no caso dele, doze meses sem rendimentos. Esta semana, ele se unirá a um número crescente de pessoas que se descobrem onde nunca se imaginaram — na fila dos desempregados. Em termos de tempo, ele está a três mil anos de Rute. Em termos de circunstâncias, não muito distante.

Esperança do tamanho de um grão. As soluções eram tão mínimas quanto a luz do sol no Alasca em pleno janeiro. Essa é a vida como uma zona de guerra. Desolação, dúvida, dívida e doença. A graça acontece aqui? Para as mães doentes, pais desempregados e viúvas de Moabe sem um centavo? Se você está se perguntando isso, continue lendo. A história de Rute foi escrita para você.

As mulheres misturaram-se na vila e começaram a encontrar sustento. Rute foi até um campo nos arredores catar grãos de trigo para fazer pão. Entra no palco, à direita, Boaz. Consideremos um cara grande, com queixo quadrado, cabelo ondulado, bíceps que se contraem, peitorais que saltam, dentes que brilham, bolsos que tinem. A educação dele, tradicional; fonte de água, particular; terras, rentáveis; casa, espaçosa e quitada. Ele não tinha intenção de interromper, com um casamento, sua vida cheia de charme.

Mas, então, ele viu Rute. Ela não era a primeira imigrante a colher grãos em seus campos. Mas foi a primeira a roubar seu coração. O olhar dela prendeu o dele por um momento. Mas um momento foi o bastante. Olhos amendoados e cabelo cor de chocolate. Rosto estrangeiro o bastante para encantar, corado e tímido o bastante para intrigar. O coração dele bateu como um tambor e seus joelhos tremeram feito gelatina. Tão rápido quanto você vira a página da Bíblia, Boaz aprendeu o nome dela, a sua história e o status do Facebook. Ele atualizou o local de trabalho dela, convidou--a para jantar e disse ao capataz que fosse alegre para casa. Em uma palavra, ele deu graça a ela. Ao menos, foi essa a palavra que Rute escolheu: "Senhor, quanta graça e quanta bondade! Eu não mereço! Fico comovida de ser tratada dessa maneira. E eu nem sequer sou daqui!" (Rute 2:13 – tradução livre). Rute saiu com mais de dez quilos de grãos e um sorriso que não conseguia tirar do rosto. Noemi ouviu a história e reconheceu o primeiro nome, e, então, uma oportunidade. "Boaz... Boaz. Esse nome soa familiar. Ele é o filho de Raabe! Ele era o furacão sardento nas reuniões de família. Rute, ele é um de nossos primos!"

A cabeça de Noemi começou a girar com várias possibilidades. Sendo a temporada da colheita, Boaz estaria jantando com os homens e passando as noites na eira para proteger a plantação dos intrusos. "Lave-se, perfume-se, vista sua melhor roupa e desça para a eira. Mas não deixe que ele perceba você até que tenha comido e bebido. Quando ele for dormir, note bem o lugar em que ele se deitar. Então vá, descubra os pés dele e deite-se. Ele lhe dirá o que fazer" (3:3,4).

Perdoe-me enquanto limpo meus óculos embaçados. Como essa noturna sedução moabita entrou na Bíblia? Boaz de barriga cheia e sonolento. Rute banhada e perfumada. "Descubra os pés dele e deite-se." O que Noemi estava pensando?

Ela pensava que era hora de Rute prosseguir com sua vida. Rute ainda estava de luto pela morte do marido. Quando Noemi disse a ela "vista sua melhor roupa", ela usou uma expressão que descreve a roupa gasta depois de um tempo de luto.[1] Enquanto Rute vestisse preto, Boaz, homem respeitoso que era, manteria distância. Pode ser que Noemi estivesse ansiosa para que Rute se livrasse de seus adornos de pesar. Novas roupas sinalizavam o retorno de Rute à sociedade.

Noemi também estava pensando sobre a "lei do remidor". Se um homem morria sem filhos, a propriedade dele era transferida não para a esposa, mas para o irmão dele. Essa prática preservava as terras do clã. Porém, também deixava a viúva vulnerável. Para protegê-la, a lei exigia que o irmão do falecido se casasse com a viúva sem filhos.

Se o marido falecido não tivesse irmãos, o parente homem mais próximo cuidaria da viúva, mas não necessariamente teria de casar com ela. Essa lei mantinha a propriedade na família e dava proteção à viúva e, em algumas situações, dava também um marido.

Embora Noemi e Rute não tivessem filhos vivos, elas tinham um primo chamado Boaz, que já fora gentil com elas. Talvez ele fosse novamente. Valia a pena apostar. Então Rute "desceu para a eira e fez tudo o que a sua sogra lhe tinha recomendado. Quando Boaz terminou de comer e beber, ficou alegre e foi deitar-se perto do monte de grãos." (vs. 6,7).

Rute ficou na sombra, observando os homens sentados ao redor do fogo, terminando suas refeições. Um a um, levantavam-se e se dirigiam para a cama, dominados pelo sono. Risadas e conversas deram lugar a roncos. Logo, a eira estava em silêncio. À luz do fogo ainda crepitante, Rute moveu-se. Arrastou-se entre os homens adormecidos, na direção de Boaz. Ao alcançá-lo, ela "descobriu os pés dele e deitou-se." No meio da noite, o homem acordou de repente. Ele se virou e assustou-se ao ver uma mulher deitada a seus pés" (vs. 7,8).

Surpreso, na verdade! Esse gesto foi o equivalente a um anel de noivado. "'Sou sua serva Rute', disse ela. 'Estenda a sua capa sobre a sua serva, pois o senhor é resgatador'" (v. 9).

Movimento audacioso. Boaz não tinha obrigação de casar-se com ela. Ele era parente, mas não irmão do marido de Rute. Além disso, ela era uma estrangeira; ele era um proprietário de terras proeminente. Ela era uma estranha destruída; ele era um comerciante local poderoso. Ela, uma desconhecida; ele, bem conhecido.

"Você nos resgatará?" ela perguntou, e Boaz sorriu.

Ele entrou em ação. Convocou uma reunião com dez líderes da cidade. Intimou outro homem que, ao que se revelou, era parente mais próximo de Noemi do que ele. Possivelmente, o finado marido de Noemi tivesse vendido a propriedade àquele que não era parente quando fugiu da fome. Quando Boaz disse ao parente mais próximo sobre a propriedade, o homem disse que exerceria seus direitos e a compraria.

Mas, então, Boaz mostrou-lhe as letras miúdas: "No dia em que você adquirir as terras de Noemi e da moabita Rute, estará adquirindo também a viúva do falecido, para manter o nome dele em sua herança" (4:5). A terra, em outras palavras, vinha com duas mulheres. O parente recusou a oferta e temos um palpite de que Boaz sabia que ele faria isso. Assim que o outro resgatador recusou, Boaz pegou Rute pela mão e a levou rapidamente para a capela. No final, Boaz teve o que queria — uma oportunidade de casar-se com Rute. Rute teve o que nunca imaginara — um homem que lutou por ela.

Agora você já percebeu que a história de Rute é a nossa história. Nós também somos pobres — espiritualmente, ao certo; financeiramente, talvez. Usamos roupas de morte. Ela enterrou o marido; nós enterramos nossos sonhos, desejos e aspirações. Como a mãe com lúpus ou o empresário na fila do desemprego, estamos sem opções. Mas nosso Boaz já nos percebeu. Da mesma maneira que o proprietário de terras aproximou-se de Rute, Cristo veio até nós "quando ainda éramos pecadores" (Romanos 5:28). Ele fez o primeiro movimento.

Você nos resgatará?, perguntamos a ele. E a *graça* sorriu.

Lembre-se de que não apenas a misericórdia, mas também a graça. A graça vai além da misericórdia. A misericórdia deu a Rute um pouco de comida; a graça deu a ela um marido e um lar. A misericórdia deu ao filho pródigo uma segunda chance; a graça deu a ele uma festa. A misericórdia fez com que o samaritano cuidasse dos ferimentos da vítima; a graça fez com que ele deixasse o cartão de crédito como pagamento pelos cuidados da vítima. A misericórdia perdoou o ladrão da cruz; a graça escoltou-o para o céu. A misericórdia nos perdoa; a graça nos corteja e nos desposa.

Vamos esclarecer tudo isso. A história de Rute é o quadro de como a graça acontece nos tempos difíceis. Jesus é seu resgatador.

Ele viu você no campo de trigo, destroçado pela mágoa. E ele decidiu deixar seu coração mais romântico. Através de pores do sol. A gentileza de um Boaz. A providência. Sussurros das Escrituras. O livro de Rute. Até mesmo um livro de Max. Marginalizado e descartado? Outros podem pensar que sim. Você pode pensar que sim. Deus vê em você uma obra-prima prestes a surgir.

Ele fará com você o que Vik Muniz fez com os catadores de lixo de Gramacho. Jardim Gramacho é o maior aterro sanitário no mundo, o Godzilla dos depósitos de lixo. O que o Rio de Janeiro descarta, Gramacho junta.

E o que Gramacho junta, os catadores recolhem. Aproximadamente três mil catadores vivem do lixo, recuperando diariamente duzentas toneladas de sucatas recicláveis. Eles trilham comboios intermináveis de caminhões, escalando montanhas de lixo e deslizando pelo outro lado, esbarrando nas sucatas durante o trajeto. Garrafas plásticas, tubos, fios e papel são separados e vendidos aos compradores que ficam à beira do depósito de lixo.

No outro lado da baía, a estátua do Cristo Redentor abre seus braços em direção à Zona Sul com seus apartamentos de frente para o mar, no valor de um milhão de dólares. Os turistas concentram-se ali, ninguém vai até Gramacho. Ninguém, exceto Vik Muniz.

Esse artista nascido no Brasil convenceu cinco trabalhadores do lixo a posar para quadros individuais. Suelem, dezoito anos, mãe de dois filhos, trabalha no lixão desde os sete anos. Isis é uma viciada em álcool e drogas em recuperação. Zumbi lê todos os livros que encontra no lixo. Irma cozinha produtos descartados em uma grande panela sobre uma fogueira e vende. Tião organizou os catadores em uma associação.

Muniz tirou fotos de seus rostos, depois ampliou as imagens no tamanho de uma quadra de basquete. Ele e os cinco catadores contornaram os traços faciais com lixo. Tampas de garrafas viraram sobrancelhas. Caixas de papelão viraram as linhas do queixo. Tiras de borracha fizeram o sombreado. As imagens foram surgindo do lixo. Muniz subiu em uma plataforma de dez metros de altura e tirou novas fotos.

O resultado? A segunda exposição de arte mais popular na história do Brasil, sendo superada somente pelos trabalhos de Picasso. Muniz doou os lucros à associação dos catadores de lixo.[2] Você pode dizer que ele tratou Gramacho com graça.

A graça faz isso. *Deus* faz isso. Graça é Deus caminhar em seu mundo com um brilho nos olhos e uma oferta a que é difícil de resistir. "Sente-se em silêncio por um momento. Posso fazer maravilhas com essa sua bagunça."

Acredite nessa promessa. Confie. Agarre com força toda essa esperança. Imite Rute e ocupe-se. Vá até sua versão do campo de grãos e comece a trabalhar. Não é momento para inatividade nem desespero. Dispa-se das roupas de luto. Agarre novas oportunidades; tome a iniciativa. Você nunca saberá o que pode acontecer. Você poderá ajudar a trazer Cristo ao mundo. Rute o fez.

O último relance teve Boaz, Rute e Noemi posando para uma foto da família com seu mais novo membro, um garotinho recém-nascido. Boaz queria dar a ele o nome de Pequeno Bo, mas Rute preferiu Obede, então; Obede foi escolhido.

Obede gerou um filho chamado Jessé, que gerou Davi, o segundo rei mais famoso nascido em Belém. O mais famoso você conhece — Jesus. Agora você o conhece ainda mais: seu Resgatador.

A vida complicada de Rute ajudou-a a dar à luz a graça.

Quem disse que na sua vida não pode acontecer o mesmo?

Capítulo 7

Confessando com Deus

"Limpe primeiro o interior do copo e do prato,
para que o exterior também fique limpo."
— Mateus 23:26

A confissão das más ações é o primeiro
passo para a prática de boas ações.
— Agostinho

O fogo do pecado é intenso, mas ele é apagado com uma
pequena porção de lágrimas, pois a lágrima apaga a
fornalha dos erros e purifica nossas feridas do pecado.
— João Crisóstomo

Um homem que confessa seus pecados na presença de um
irmão sabe que não está mais sozinho; ele experimenta
a presença de Deus na realidade da outra pessoa.
— Dietrich Bonhoeffer

Você foi fortalecido e adquirido, teve os pés lavados e foi feito morada de Cristo. Você pode arriscar a honestidade com Deus.

Gosto de cerveja. Sempre gostei. Desde que meu parceiro de escola e eu bebemos uma caixa de cerveja até cair. Gosto da maneira como ela ajuda a descer uma fatia de pizza e abranda a pimenta das enchiladas. Fica ótima com amendoins no jogo de beisebol e parece uma maneira adequada de comemorar dezoito buracos de golfe. Seja de barril, torneira, garrafa ou caneco gelado — não faz diferença para mim. Gosto dela.

Muito. O alcoolismo assombra meus ancestrais. Lembro-me de na infância seguir meu pai pelos corredores de um centro de reabilitação para visitar a irmã dele. Cenas parecidas repetiram-se com outros parentes por décadas. A cerveja não se mistura bem com o DNA da minha família. Assim, aos 21 anos, prometi que nunca mais beberia.

Nunca fiz grande caso da minha abstinência. Nem sobre a indulgência das pessoas. Defini a diferença entre a bebida e a embriaguez e decidi, no meu caso, que a primeira levaria à segunda; portanto, desisti. Além disso, eu era seminarista (nos dois anos seguintes). Depois, pastor (três anos). Em seguida, missionário (cinco anos). Então, pastor de novo. Escrevia livros cristãos e falava em conferências cristãs. Um clérigo não deveria fazer amizade com produtos da Heineken, certo? Portanto, eu não fiz.

Então, alguns anos atrás, algo ressuscitou meu desejo. Muitos comerciais? Muitos jogos de beisebol? Muitos amigos episcopais? (Brincadeirinha.) Não sei. Muito provavelmente, eu apenas estava com sede. O calor do sul do Texas pode arder como fogo. Em algum momento, peguei uma lata de cerveja em vez de uma lata de refrigerante e, no mesmo instante, virei fã de cerveja outra vez. Era um fã de vez em quando... depois, uma vez por semana... daí, um fã de uma vez por dia.

Mantive minha preferência para mim mesmo. Não bebia em casa, com receio de que minhas filhas pensassem mal de mim. Não bebia em público. Quem sabe quem poderia me ver? Nada em casa, nada em público, fica apenas uma opção: nos estacionamentos de lojas de conveniência. Durante uma semana, eu era o cara no carro, bebendo de dentro de um saco de papel marrom.

Não, eu não sei o que ressuscitou meu desejo, mas eu lembro o que me fez parar com ele. A caminho para uma palestra, em um retiro para homens, parei para fazer minha compra diária. Saí da loja de conveniência com uma cerveja apertada junto ao corpo, caminhei apressadamente até o carro com medo de ser visto, abri a porta, entrei e abri a lata.

Então, ficou tudo claro para mim. Eu tinha me tornado a coisa que mais odeio: um hipócrita. Um fingido. Duas caras. Agindo de uma maneira, vivendo de outra. Havia escrito sermões sobre pessoas como eu — cristãos que cuidam mais da aparência do que da integridade. Não era a cerveja, mas o fato de escondê-la que me nauseava.

Eu sabia o que precisava fazer. Escrevera sermões sobre isso também. "Se afirmarmos que estamos sem pecado, enganamos a nós mesmos, e a verdade não está em nós. Se confessarmos os nossos pecados, ele é fiel e justo para perdoar os nossos pecados. E nos purificar de toda injustiça" (1João 1:8,9).

Confissão. A palavra evoca muitas imagens, nem todas positivas. Interrogatórios nos bastidores. Tortura chinesa da água. Admitir flertes para um sacerdote que sente do outro lado de uma cortina negra. Caminhar pelo corredor da igreja e preencher um formulário. Era isso o que João tinha em mente?

A confissão não é dizer aquilo que Deus não sabe. Impossível.

A confissão não é reclamar. Se eu simplesmente recitar meus problemas e repetir minhas aflições, estou lamuriando.

A confissão não é culpar. Apontar os dedos para os outros sem apontar para mim é bom, mas não promove a cura.

A confissão é muito mais que isso. A confissão é uma confiança radical na graça. Uma proclamação de nossa confiança na bondade de Deus. "O que eu fiz foi ruim", reconhecemos, "mas sua graça é maior do que o pecado, por isso eu confesso". Se nosso entendimento de graça for pequeno, nossa confissão será pequena: relutante, hesitante, limitada com desculpas e qualificações, cheia de medo da punição.

Mas a grande graça cria uma confissão honesta.

Como o filho pródigo orou: "Pai, pequei contra o céu e contra ti. Não sou mais digno de ser chamado teu filho" (Lucas 15:18,19). Ou a confissão do coletor de impostos que implorou: "Deus, tem misericórdia de mim, que sou pecador!" (Lucas 18:13).

A oração mais conhecida da confissão veio do rei Davi, embora ele tenha levado um tempo interminavelmente longo para oferecê-la. Esse herói do Antigo Testamento dedicou uma época de sua vida a tomar decisões estúpidas, idiotas e ímpias.

Decisão estúpida 1: Davi não ia para a guerra com os soldados. Ele ficava em casa com muito tempo nas mãos e, aparentemente, muito romance na cabeça. Enquanto caminhava em sua sacada, viu a bela Bate-Seba banhando-se.

Decisão estúpida 2: Davi enviou servos para que conduzissem Bate-Seba ao palácio dele e a escoltasse para o quarto dele, onde um tapete de pétalas de rosas forrava o chão e o champanhe gelava no canto. Algumas semanas depois, ela disse a ele que estava esperando um filho dele. Davi, ainda na névoa das escolhas ruins, continuou sua tendência.

Decisões estúpidas 3, 4 e 5: Davi enganou o marido de Bate-Seba, assassinou-o e comportou-se como se não tivesse feito nada de errado. O bebê nasceu e Davi ainda não estava arrependido.

Sim, Davi. O homem criado segundo o coração de Deus permitiu que o seu próprio coração se endurecesse. Ele suprimiu sua transgressão e pagou um preço alto por isso. Mais tarde, ele descreveu essa situação desta maneira: "Enquanto escondi os meus pecados, o meu corpo definhava de tanto gemer. Pois de dia e de noite a tua mão pesava sobre mim; minha força foi se esgotando como em tempo de seca" (Salmos 32:3,4).

A realidade do pecado substituiu a euforia do pecado. Davi começou a ver em Bate-Seba não uma imagem de beleza, mas um símbolo de sua própria fraqueza. Ele conseguiria ver a imagem dela sem o rosto de seu marido, a quem ele traíra? Acima de tudo, ele conseguiria olhar para ela e não sentir o olhar de Deus sobre si mesmo?

Ele sabia que seu pecado secreto não era completamente secreto. Finalmente ele orou: "Senhor, não me repreendas no teu furor nem me disciplines na tua ira. Pois as tuas flechas me atravessaram, e a tua mão me atingiu... todo o meu corpo está doente; não há saúde nos meus ossos por causa do meu pecado... Minhas feridas cheiram mal e supuram por causa da minha insensatez... Estou ardendo em febre; todo o meu corpo está doente" (Salmos 38:1–3, 5, 7).

Enterre o mau comportamento e espere pela dor, ponto final. O pecado não confessado é uma faca alojada na alma. Você não pode escapar da miséria que ele cria.

Pergunte a Li Fuyan. Esse chinês tentou todos os tratamentos inimagináveis para aliviar suas dores de cabeça palpitantes. Nada ajudava. Um raio-X finalmente revelou o culpado. Uma lâmina de faca, enferrujada, de dez centímetros estivera alojada em seu crânio por quatro anos. Em um ataque de um assaltante, Fuyan sofrera lacerações no lado direito de sua mandíbula. Ele não sabia que a lâmina havia quebrado dentro de sua cabeça. Não é de se estranhar que ele sofria de dores penetrantes. (Desculpe, não pude resistir.)[1]

Não podemos viver com objetos estranhos enterrados em nosso corpo.

Ou em nossa alma. O que um raio-X do nosso interior revelaria? Arrependimentos de um relacionamento adolescente? Remorso de uma má escolha? Vergonha do casamento que não deu certo, o hábito que você não conseguiu largar, das tentações que não resistiu, ou da coragem que não encontrou? A culpa esconde-se debaixo da superfície, supurando, irritando. Às vezes tão profundamente inserida que você não sabe a causa.

Você se torna mal-humorado, irritado. Fica propenso a ter uma reação exagerada. Fica irado. Pode ficar sensível. Compreensível, desde que você tenha uma haste de vergonha alojada em sua alma.

Interessado em uma extração? Confesse. Solicite uma ressonância magnética espiritual. "Sonda-me, ó Deus, e conhece o meu coração; prova-me, e conhece as minhas inquietações. Vê se em minha conduta algo te ofende, e dirige-me pelo caminho eterno" (Salmos 139:23,24). Quando Deus trouxer a má conduta à sua mente, concorde com ele e desculpe-se. Deixe que ele aplique a graça às mágoas.

Não faça essa jornada interna sem Deus. Muitas vozes anseiam para que você olhe mais profundamente para dentro de você e encontre uma força invisível ou um poder oculto. Um exercício perigoso. A autoavaliação sem a orientação de Deus leva à negação ou à vergonha. Podemos justificar nossa má conduta com mil e uma desculpas ou criar e residir em uma câmara de tortura. Justificativa ou humilhação? Precisamos dos dois.

Precisamos de uma oração de confissão, baseada na graça como a de Davi. Depois de um ano de negação e disfarce, ele finalmente orou: "Tem misericórdia de mim, ó Deus, por teu amor; por tua grande compaixão apaga as minhas transgressões. Lava-me de toda a minha culpa e purifica-me do meu pecado. Pois eu mesmo reconheço as minhas transgressões, e o meu pecado sempre me persegue. Contra ti, só contra ti, pequei e fiz o que tu reprovas, de modo que justa é a tua sentença e tens razão em condenar-me" (Salmos 51:1-4).

Davi levantou a bandeira branca. Sem mais combates. Sem mais discussões com os céus. Ele confessou-se com Deus. E você? Seu momento pode ser parecido com este.

Tarde da noite. Na hora de dormir. O travesseiro chama. Assim como sua consciência culpada. Um encontro com um colega acabou sendo desagradável pela manhã. Palavras foram trocadas. Acusações feitas. Linhas desenhadas na areia. Nomes chamados. Comportamento vulgar, muito vulgar. Você tem um pouco, senão a maior parte da culpa.

A sua antiga versão teria impedido a discussão. Amontoaria-a em um celeiro já lotado de conflitos não resolvidos. Cimento jogado em madeira podre. A discussão viraria amargura e envenenaria outra relação. Mas você não é sua antiga versão. A graça está acontecendo, surgindo como o sol da manhã sobre um prado invernoso. Calor. Deus não fecha a cara ao ver você. Certa vez você achou que ele fazia isso. Braços cruzados e com raiva, perpetuamente irritado. Agora você sabe melhor. Você foi fortalecido e adquirido, teve os pés lavados e foi feito morada de Cristo. Você pode arriscar a honestidade com Deus.

Você diz ao travesseiro que espere e vai para a presença de Jesus. "Podemos conversar sobre a discussão de hoje? Sinto muito se reagi daquela maneira. Fui severo, crítico e impaciente. Você me deu tanta graça. Eu dei tão pouco. Por favor, perdoe-me."

Assim não se sente melhor? Sem necessidade de um local especial. Sem necessidade de cântico ou vela. Apenas uma oração. A oração provavelmente induzirá a um pedido de desculpa, e o pedido de desculpa possivelmente preservará uma amizade e protegerá um coração. Você poderá ainda pendurar um cartaz na parede do seu escritório: "A graça acontece aqui."

Ou, talvez, sua oração precise de uma investigação mais profunda. Por baixo da epiderme dos feitos de hoje estão as ações não resolvidas dos anos passados. Como o rei Davi, você tomou uma decisão estúpida após a outra. Você ficou quando deveria ter ido embora, olhou quando deveria ter virado as costas, seduziu quando deveria ter se contido, machucou quando deveria ter ajudado, negou quando deveria ter confessado.

Fale com Deus sobre essas lâminas enterradas. Vá até ele da mesma maneira que você iria até um médico de confiança. Explique a dor e revisite a transgressão. Receba o toque sondador e curativo dele. E, isso é importante, confie na habilidade dele de receber sua confissão mais do que sua habilidade de realizá-la. Oh, que perfeccionista insubordinado que vive em nós. Ele traz dúvidas cancerígenas: "Minha confissão foi sincera? Suficiente? Esqueci algum pecado?"

Claro que sim. Quem entre nós conhece todas as nossas violações? Quem de nós sente remorso suficiente por nossas quedas? Se a purificação da confissão depende de quem confessa, todos afundaremos, pois nenhum de nós confessou precisamente ou adequadamente. O poder da confissão não está com a pessoa que a realiza, mas com o Deus que a ouve.

Deus pode mandar você falar com a igreja. "Confessem os seus pecados *uns aos outros* e orem uns pelos outros para serem curados" (Tiago 5:16, *itálico* meu). Tiago nos convoca não apenas a confessar a Deus, mas também a confessarmos uns aos outros.

Eu fiz isso. Você está se perguntando o que aconteceu com minha hipocrisia. Primeiro, eu joguei a lata de cerveja no lixo. Em seguida, fiquei sentado no carro por um longo tempo, orando. Depois, marquei uma visita com os presbíteros da nossa igreja. Eu não enfeitei nem diminuí minhas ações; apenas as confessei. E, eles, por sua vez, pronunciaram o perdão sobre mim. Jim Potts, um santo querido de cabelos grisalhos, foi até o outro lado da mesa, colocou a mão sobre meu ombro e disse algo assim: "O que você fez foi errado. Mas o que você está fazendo esta noite é certo. O amor de Deus é grande o bastante para cobrir seu pecado. Confie na graça dele." E assim foi. Sem controvérsias. Sem alvoroço. Apenas cura.

Depois de falar com os presbíteros, falei com a igreja. Na reunião da semana, mais uma vez contei a história. Pedi desculpas por minha duplicidade e pedi orações da congregação. O que se seguiu foi uma hora de renovação da confissão em que as outras pessoas fizeram o mesmo. A igreja estava fortalecida, não enfraquecida, por nossa honestidade. Pensei na igreja da antiga Éfeso, onde "muitos dos que creram vinham, e confessavam e declaravam abertamente suas más obras" (Atos 19:18). O resultado de suas confissões? "Dessa maneira a palavra do Senhor muito se difundia e se fortalecia" (v. 20).

As pessoas são atraídas pela honestidade.

Encontre uma congregação que acredite na confissão. Evite uma comunidade de pessoas perfeitas (você não vai se encaixar), mas busque uma em que os membros confessam seus pecados e mostram humildade, em que o preço da admissão seja simplesmente uma admissão de culpa. A cura acontece em uma igreja assim. Os discípulos de Cristo receberam autoridade para ouvir confissões e proclamar a graça. "Se perdoarem os pecados de alguém, estarão perdoados; se não os perdoarem, não estarão perdoados" (João 20:23).

Os que confessam encontram uma liberdade que os negadores não encontram.

"Se afirmarmos que estamos sem pecado, enganamos a nós mesmos, e a verdade não está em nós. Se confessarmos os nossos pecados, ele é fiel e justo para perdoar os nossos pecados e nos purificar de toda a injustiça" (1João 1:8,9).

Oh, a doce certeza destas palavras. "Ele nos purificará." Não um *talvez, poderia, iria* ou *sabe-se lá*. Ele nos purificará. Diga a Deus o que você fez. Repito, não que ele já não saiba, mas vocês dois precisam concordar. Passe o tempo que for necessário. Compartilhe o máximo de detalhes que conseguir. Depois, deixe que a água pura da graça flua sobre seus erros.

E, então, celebremos com uma cerveja. (Sem álcool.)

Capítulo 8

Medo destronado

"Minha graça é suficiente para você, pois o meu poder se aperfeiçoa na fraqueza".
— 2Coríntios 12:9 NVI

À voz do teu clamor ele fará sentir a sua graça; ao ouvi-lo, ele te responderá.
— Isaías 30:19 BJ

[Deus] nunca dá um espinho sem dar junto a graça. Ele coloca o espinho para prender o véu que esconde o rosto dele.
— Martha Snell Nicholson

A graça é simplesmente outra palavra para o acrobata e retumbante reservatório de força e proteção dele. Vem até nós não ocasionalmente ou miseravelmente, mas constantemente e agressivamente, onda após onda.

Heather Sample suspeitou de problemas no momento em que viu o corte na mão do pai. Os dois sentaram-se para fazer um rápido almoço no intervalo dos procedimentos cirúrgicos. Heather olhou para o ferimento e o questionou. Quando Kyle explicou que o machucado acontecera durante uma cirurgia, uma onda de náusea tomou conta dela.

Os dois eram médicos. Ambos sabiam do risco. Ambos entendiam o perigo de tratar pacientes com AIDS no Zimbábue. E agora seus medos se concretizaram.

Kyle Sheets era um veterano com doze anos de viagens em missões médicas. Conheci Kyle quando eu estava na faculdade. Ele casou-se com uma bela garota chamada Bernita e estabeleceu-se em uma cidadezinha do Texas para constituir uma família e tratar dos necessitados. No final das contas, construíram uma família que trata dos necessitados. Dez filhos no total. Cada um deles envolvido em ações humanitárias. Como fundador e presidente da Physicians Aiding Physicians Abroad, Kyle, durante suas missões, passava muitas semanas por ano trabalhando em hospitais de países em desenvolvimento. Essa viagem ao Zimbábue não era a primeira. A exposição ao vírus da AIDS era.

Heather encorajou seu pai a começar imediatamente o tratamento antirretroviral para evitar a infecção por HIV. Kyle estava relutante. Ele conhecia os efeitos colaterais. Cada um deles era uma ameaça à vida. Mesmo assim, Heather insistiu e ele consentiu. Em poucas horas ele estava extremamente doente.

Náusea, febre e fraqueza eram apenas os sintomas iniciais de que algo estava muito errado. Por dez dias Kyle continuou a piorar. Então, surgiram nele erupções cutâneas inconfundíveis da síndrome de Stevens-Johnson, que quase sempre são fatais. Eles mudaram o momento da partida dele quando começaram a imaginar se ele sobreviveria à viagem de 44 horas, que incluía uma parada de doze horas na África do Sul e dezessete horas de voo para Atlanta.

Kyle embarcou em um avião transoceânico com uma febre de quarenta graus. Ele tremia de frio. Nesse momento ele estava tendo dificuldades para respirar, e não conseguia se sentar. Incoerente. Olhos amarelados. Fígado aumentado e dolorido. Os dois médicos reconheceram os sintomas de insuficiência hepática aguda. Heather sentia todo o peso da vida do pai sobre seus ombros.

Heather explicou a situação aos pilotos e convenceu-os de que a melhor esperança para o pai era fazer o voo para os Estados Unidos o mais rápido possível. Com apenas um estetoscópio e um frasco de epinefrina, ela sentou-se ao lado dele e ficou imaginando como colocaria o corpo dele no corredor para fazer uma massagem cardíaca caso o coração dele parasse.

Vários minutos de voo e Kyle adormeceu. Heather moveu-se por sobre ele e chegou ao banheiro a tempo de vomitar a água que acabara de beber. Ela curvou-se no chão em posição fetal, chorou e orou: "Preciso de ajuda."

Heather não se lembra por quanto tempo orou, mas foi o bastante para que um passageiro preocupado batesse à porta. Ela abriu, e pôde ver quatro homens parados na copa. Um deles perguntou se ela estava bem. Heather assegurou que estava bem e disse a ele que era médica. O rosto dele iluminou-se quando explicou que ele e os amigos também eram médicos. "Assim como os outros 96 passageiros!", disse ele. Cem médicos do México estavam no voo.

Heather explicou a situação e pediu seu auxílio e orações. Eles deram as duas coisas. Alertaram um colega que era médico especialista em doenças infecciosas. Juntos, eles avaliaram a condição de Kyle e concordaram que não havia mais nada a ser feito.

Ofereceram-se para ficar com ele para que ela pudesse descansar. Heather foi descansar. Quando acordou, Kyle estava em pé e conversando com um dos médicos. Embora sua doença ainda fosse caso de UTI, ele estava muito mais forte. Heather começou a reconhecer a mão de Deus em ação. Ele os colocara exatamente no avião certo com as pessoas certas. Deus satisfizera as necessidades deles com graça.

Ele satisfará também as suas. Talvez sua jornada seja difícil. Você é a Heather no voo, vendo um ente querido lutar contra uma enfermidade. Ou você é o Dr. Kyle Sheets, sentindo a fúria da doença e da morte em seu corpo. Você está fraco e com medo, mas não está sozinho. As palavras de "Amazing Grace" são suas. Embora tenham sido escritas por volta de 1773, elas trazem esperança como o nascer do sol de hoje. "Esta graça me trouxe seguro até aqui, e a graça me levará para casa."[1] Você tem o Espírito dele dentro de você. Hostes celestiais acima de você. Jesus Cristo intercedendo por você. Você tem graça de Deus o suficiente para sustentá-lo.

A vida de Paulo ressaltou essa verdade. Ele escreveu: "Foi-me dado um espinho na carne, um mensageiro de Satanás, para me atormentar. Três vezes roguei ao Senhor que o tirasse de mim. Mas ele me disse: 'Minha graça é suficiente para você, pois o meu poder se aperfeiçoa na fraqueza'" (2Coríntios 12:7-9).

Um espinho na carne. Que imagem nítida. A ponta afiada de um espinho fura a pele macia da vida e aloja-se debaixo da superfície. Cada passo é um lembrete do espinho na carne.

O câncer no corpo.

A mágoa no coração.

A criança no centro de reabilitação.

A tinta vermelha no livro-razão.

O crime nos registros.

A ânsia por um uísque no meio do dia.

As lágrimas no meio da noite.

Um espinho na carne.

"Leve embora", você implora. Não uma vez, mas duas, ou até mesmo três vezes. Você supera as orações de Paulo. Ele orou uma corrida de fundo; você orou a Maratona de Boston. E você está prestes a alcançar a chegada no quilômetro trinta. A ferida irradia dor e você não vê sinal de pinças vindo do céu. Mas o que você ouve é: "Minha graça é suficiente para você."

A graça assume aqui uma dimensão extra. Paulo se refere à graça sustentadora. A graça salvadora nos salva de nossos pecados. A graça sustentadora nos satisfaz em nossa necessidade e nos equipa com coragem, sabedoria e força. Ela nos surpreende no meio de nossos voos transatlânticos pessoais com recursos amplos de fé. A graça sustentadora não promete a ausência de luta, mas a presença de Deus.

E, de acordo com Paulo, Deus tem graça sustentadora suficiente para satisfazer todos os desafios de nossa vida. Suficiente. Temos medo do seu antônimo: insuficiente. Preenchemos cheques apenas para ver as palavras "saldo insuficiente". Oferecemos orações somente para descobrir a força insuficiente? Nunca.

Mergulhe uma esponja no Lago Erie. Absorveu cada gota? Respire fundo. Você sugou todo o oxigênio da atmosfera? Arranque uma folha de um pinheiro em Yosemite. Você acabou com as folhas da floresta? Observe uma onda do mar bater contra a praia. Nunca haverá outra?

É claro que haverá. Logo depois de uma onda quebrar na areia, outra aparecerá. Depois outra e mais outra. Essa é a imagem da graça suficiente de Deus. Graça é simplesmente outra palavra para o acrobata e retumbante reservatório de força e proteção dele. Vem até nós não ocasional ou miseravelmente, mas constante e agressivamente, onda após onda. Mal recuperamos nosso equilíbrio de um vagalhão quando, bum!, chega outro.

"Graça sobre graça" (João 1:16). Ousamos pendurar nosso chapéu e fixar nossa esperança na melhor notícia de todas: se Deus torna o desafio possível, ele proverá a graça necessária.

Nunca exaurimos seu suprimento. "Pare de pedir tanto! Minha reserva de graça está acabando." O céu não conhece essas palavras. Deus tem graça suficiente para resolver todos os dilemas que você enfrenta, secar suas lágrimas e responder todas as perguntas que você faz.

Você esperaria menos de Deus? Enviar o próprio Filho para morrer por nós e não enviar seu poder para nos sustentar? Paulo achava impossível essa lógica. "Aquele que não poupou seu próprio Filho, mas o entregou por todos nós, como não nos dará juntamente com ele, e de graça, todas as coisas?" (Romanos 8:32).

Leve todas as suas ansiedades ao Calvário, pedia Paulo. Fique à sombra do Filho de Deus crucificado. Agora faça suas perguntas.

Jesus está ao meu lado? Olhe as feridas dele. Ele ficará comigo? Tendo dado o presente mais supremo e mais caro "como não nos dará juntamente com ele, e de graça, todas as coisas?" (Romanos 8:32).

"Esta graça me trouxe seguro até aqui, e a graça me levará para casa." Quando John Newton escreveu essa promessa, ele o fez a partir de sua experiência pessoal. Seu maior teste veio no dia em que ele enterrou sua mulher, Mary. Ele a amava muito e orara para que a própria morte viesse antes do falecimento da esposa. Mas sua oração não foi respondida.

Mesmo assim, a graça de Deus provara ser suficiente. No dia em que ela morreu, Newton encontrou força para realizar o sermão de domingo. No dia seguinte, ele visitou alguns membros da igreja e, depois, oficiou o funeral da própria esposa. Ele lamentou, mas, em seu lamento, encontrou a provisão de Deus. Ele escreveu posteriormente: "O Banco da Inglaterra é pobre demais para compensar uma perda como a minha. Mas o Senhor, o Todo-suficiente Deus, fala e está feito. Que aqueles que o conhecem e confiam nele, sejam corajosos. Ele pode dar-lhes força, de acordo com a necessidade. Pode aumentar-lhes a força conforme as provações aumentam... e o que ele pode fazer, ele prometeu que faria."[2]

Deixe que a graça de Deus destrone seus medos. A ansiedade ainda virá, certamente. O globo ainda aquecerá; as guerras ainda explodirão; a economia falhará. Doença, calamidade e tribulação povoam seu mundo. Mas elas não podem controlá-lo. A graça pode. Deus colocou seu avião com uma frota de anjos para satisfazer suas necessidades à maneira dele, no momento certo.

Meu amigo Kyle recuperou-se da reação e os testes não detectaram HIV. Ele e Heather voltaram à prática com renovadas convicções da proteção de Deus. Quando perguntei a Kyle sobre a experiência, ele refletiu que em três ocasiões ele ouvira um comissário da companhia aérea perguntar: "Há um médico a bordo?" Em todas as vezes, Kyle era o único médico a bordo.

"Quando Heather me colocou no avião, fiquei imaginando se haveria alguém a bordo para ajudar-nos." Deus, ele logo descobriu, respondeu à sua oração literalmente multiplicando por cem.

Capítulo 9

Corações generosos

Deus é poderoso para fazer que lhes seja acrescentada
toda a graça, para que em todas as coisas, em
todo o tempo, tendo tudo o que é necessário,
vocês transbordem em toda boa obra.
— 2Coríntios 9:8

A graça deve encontrar expressão
na vida, do contrário, não é graça.
— Karl Barth

A graça é dada não porque fizemos boas obras, mas
para que possamos ser capazes de realizá-las.
— Agostinho

Quando a graça acontece, a generosidade acontece.
Uma grande e sincera amabilidade acontece.

Amy Wells sabia que sua loja de noivas estaria cheia. As futuras noivas aproveitavam os dias depois do Dia de Ação de Graças. Era comum parentes e irmãs passarem a maior parte do fim de semana do feriado olhando vestidos de noiva na loja dela em San Antonio, Texas. Amy estava preparada para atender os clientes. Ela nunca esperava que fosse dar a graça a um moribundo.

Do outro lado da cidade, Jack Autry estava no hospital, lutando para continuar vivo. Ele estava nos estágios finais de um melanoma. Sofrera um colapso dois dias antes e dera entrada no pronto-socorro. Sua família estava na cidade não apenas para celebrarem juntos a Ação de Graças, mas para fazer os preparativos para o casamento da filha dele. Chrysalis casaria em alguns meses. As mulheres da família planejaram passar o dia selecionando um vestido de noiva. Mas agora, com Jack no hospital, Chrysalis não queria ir.

Jack insistira. Depois de muita persuasão, a mãe, a futura sogra e as irmãs foram até o salão das noivas. A proprietária da loja observou que as mulheres estavam um pouco reprimidas, mas ela achou que fosse apenas uma família mais silenciosa. Ela ajudou Chrysalis a provar vários vestidos até que ela encontrou um de seda e cetim branco, estilo duquesa, que todas amaram. Jack gostava de chamar a filha de princesa e o vestido, comentou Chrysalis, faria com que ela se parecesse com uma.

Foi quando Amy ouviu falar em Jack. Devido ao câncer, ele não poderia ver a filha vestida. E, devido às contas médicas, a família não poderia pagar pelo vestido. Pareceu que Jack Autry morreria sem ver sua filha vestida de noiva.

Amy não queria mais ouvir nada. Disse a Chrysalis para levar o vestido e o véu para o hospital e vesti-los para o pai.

Ela diz: "Sabia que seria bom. Eu não tinha dúvidas quanto a fazer isso. Deus estava falando comigo." Não foi pedido nem fornecido nenhum cartão de crédito. Amy não anotou o telefone. Ela estava ansiosa para que a família fosse direto para o hospital. Chrysalis não precisou que falassem duas vezes.

Quando ela chegou ao quarto do pai, ele estava muito medicado e adormecido. Quando a família o acordou, as portas do quarto abriram-se lentamente e lá estava sua filha, envolta em quase quinze metros de seda em camadas ondulantes. Ele conseguiu ficar alerta por vinte segundos.

"Mas aqueles vinte segundos foram mágicos", recorda Chrysalis. "Meu pai me viu entrar usando o mais lindo vestido. Ele estava realmente fraco. Sorriu e continuou olhando para mim. Segurei a mão dele e ele a minha. Perguntei se eu parecia uma princesa... Ele acenou que sim. Olhou-me mais um pouco e parecia que estava prestes a chorar. E, então, voltou a dormir."

Três dias depois ele morreu.[1]

A generosidade de Amy criou um momento de graça em cascatas. Deus para Amy para Chrysalis para Jack.

Não é assim que funciona?

Não é assim que Deus trabalha? Ele começa o processo. Ele não apenas nos ama; ele nos concede seu amor (1João 3:1). Ele não distribui sabedoria; ele "a todos dá livremente, de boa vontade" (Tiago 1:5). Ele é rico em "bondade, tolerância e paciência" (Romanos 2:4). Sua graça é "transbordante" (1Timóteo 1:14) e "indescritível" (2Coríntios 9:14,15).

Ele encheu a mesa do filho pródigo com um banquete, os barris do casamento com vinho e o barco de Pedro com peixe, duas vezes. Curou todos que buscavam cura, ensinou todos que queriam instrução e salvou todos que aceitaram a dádiva da salvação.

Deus "supre a semente ao que semeia e o pão ao que come" (2Coríntios 9:10). O verbo grego para "suprir" (*epichoregoe*) puxa a cortina na generosidade de Deus. Ela combina "dança" (*choros*) com o verbo "guiar" (*hegeomai*).[2] Significa, literalmente, "guiar uma dança". Quando Deus dá, ele dança de alegria. Ele dá início à banda e guia a parada da generosidade. Ele adora dar.

Ele até mesmo prometeu um grandioso retorno ao nosso serviço. Pedro disse a Jesus: "Nós deixamos tudo para seguir-te! Que será de nós?" (Mateus 19:27). Parece uma boa oportunidade para Jesus criticar a mentalidade "o que será de nós?" de Pedro. Porém ele não criticou. Mas assegurou a Pedro, assim como a todos os discípulos, que "receberão cem vezes mais e herdarão a vida eterna" (Mateus 19:29). Jesus prometeu um ganho de 10.000%. Se eu desse a você dez mil dólares hoje por cada cem que você tivesse me dado ontem, você me chamaria do que a Bíblia chama Deus: generoso.

Ele dispensa sua bondade não com um conta-gotas, mas com um hidrante. Seu coração é um gigantesco copo e a graça dele é o mar Mediterrâneo. Você simplesmente não consegue armazenar tudo. Portanto, deixe transbordar. Derrame. Emane. "Vocês receberam de graça; deem também de graça" (Mateus 10:8).

Quando a graça acontece, a generosidade acontece. Uma grande e sincera amabilidade acontece.

Isso certamente aconteceu com Zaqueu. Se o Novo Testamento tem um vigarista, esse é o homem. Ele nunca encontrara uma pessoa que não pudesse trapacear ou vira um dólar do qual não pudesse apropriar-se. Ele era "chefe dos publicanos" (Lucas 19:2), coletores de impostos do século 1 que espoliavam qualquer coisa que caminhasse. O governo romano tornava possível que eles conservassem tudo o que pudessem pegar. Zaqueu pegou muito. "Ele era rico" (v. 2). Um rico com um carro conversível para duas pessoas. Um rico com sapatos de couro de crocodilo. Um rico com ternos sob medida e unhas feitas. Podre de rico.

E um rico culpado? Ele não seria o primeiro inescrupuloso a sentir remorso. E ele não seria o primeiro a se perguntar se Jesus poderia ajudá-lo a livrar-se dele. Talvez seja desse modo que ele foi parar na árvore. Quando Jesus viajou por Jericó, metade da cidade apareceu para vê-lo. Zaqueu estava entre eles. Os cidadãos de Jericó não estavam propensos a deixar que Zaqueu, aquele baixinho cheio de inimigos, abrisse caminho até a frente da multidão. Ele foi deixado saltitando atrás da parede de pessoas, esperando conseguir dar uma olhada.

Foi quando ele viu a figueira, correu até ela e subiu. Estava feliz por, de cima de um galho, poder dar uma boa olhada em Cristo. Nunca imaginara que Cristo daria uma boa olhada nele. Mas Jesus deu. "Zaqueu, desça depressa. Quero ficar em sua casa hoje" (v. 5).

O ladrão minúsculo e insignificante olhou para um lado, depois para o outro, no caso de outro Zaqueu estar na árvore. No final, Jesus estava caminhando até ele. Até ele! De todos os lares da cidade, Jesus selecionara o de Zaqueu. Financiado com dinheiro ilegal, evitado pelos vizinhos, mesmo assim, naquele dia, foi agraciado pela presença de Jesus.

Zaqueu nunca mais foi o mesmo. "Olha, Senhor! Estou dando a metade dos meus bens aos pobres; e se de alguém extorqui alguma coisa, devolverei quatro vezes mais" (v. 8).

A graça entrou pela porta da frente e o egoísmo saiu a galope pela porta dos fundos. Ela mudou o coração dele.

A graça está mudando o seu coração?

Algumas pessoas são resistentes a mudanças. O servo ingrato é uma dessas pessoas. Na história que Jesus contou, o servo devia mais dinheiro ao rei do que jamais poderia devolver. Não importa o que tentasse, o homem não poderia fazer os pagamentos. Era mais fácil encontrar sapos nas nuvens do que dinheiro para a dívida. "Então, o rei ordenou que o homem, com esposa, filhos e bens, fosse leiloado no mercado de escravos. O infeliz lançou-se aos pés do rei e implorou: 'Dá-me uma chance, e pagarei tudo'. Sensibilizado com o pedido, o rei deixou-o ir, cancelando a dívida." (Mateus 18:25-27 MSG).

O homem foi direto para casa de uma pessoa que devia a ele alguns dólares. O recém- abençoado se tornará naquele que rapidamente também abençoará, certo? Não nesse caso. Ele exigiu o pagamento. Não deu ouvidos aos apelos do amigo por misericórdia e colocou-o na prisão dos devedores.

Como ele conseguia ser tão avarento? Jesus não nos diz. Ele deixa que especulemos, e eu especulo assim: a graça nunca aconteceu a ele. Ele achou que havia burlado o sistema e espoliado o velho homem. Ele não tinha saído do castelo do rei com um coração agradecido ("Que grande rei eu sirvo!"), mas com o peito estufado ("Como sou esperto!"). O rei ficou sabendo da resposta egoísta e ficou muito irritado. "Você é mau-caráter! Perdoei sua dívida quando você implorou por misericórdia. Não deveria você também ser misericordioso diante das súplicas de seu companheiro?" (Mateus 18.32,33 MSG).

A graça dada transmite a graça.

A graça está acontecendo para você?

Há alguém na sua vida que você se recusa a perdoar? Se há, responda: você gosta do perdão de Deus sobre você?

Você repassa a bondade de Deus aos outros? Você se queixa da compaixão inigualável de Deus? Se sim, responda: você tem ciúmes porque o Senhor é bom?

Quanto tempo faz desde a última vez em que sua generosidade deixou alguém impressionado? Desde quando alguém não contestou: "Não, realmente, isso é muito generoso"? Se já fizer um tempo, reconsidere a graça extravagante de Deus. "Não esqueça de nenhuma de suas bênçãos! É ele que perdoa todos os seus pecados" (Salmos 103:2,3).

Deixe que a graça torne seu coração generoso. "Cresçam, na graça e no conhecimento de nosso Senhor e Salvador Jesus Cristo" (2Pedro 3:18). Desse modo, você se verá fazendo o que Chrysalis fez. Iluminando os cantos escuros com o esplendor nupcial e a promessa de um casamento vindouro.

Capítulo 10

Filhos escolhidos

Ele nos tornou aceitáveis no Amado.
— Efésios 1:6 - Tradução livre

De acordo com a sua vontade e com aquilo que ele havia resolvido desde o princípio, Deus nos escolheu para sermos o seu povo.
— Efésios 1:11 NTLH

Ele queria que o víssemos e vivêssemos com ele e dirigíssemos nossa vida a partir do sorriso dele.
— A. W. Tozer

Você é amado pelo Criador não porque você tenta agradá-lo e ter sucesso, ou fracassa em agradá-lo e desculpa-se, mas porque ele quer ser seu Pai.

Entre 1854 e 1929, aproximadamente 1.200 órfãos e crianças abandonadas nas cidades do Leste foram colocadas em trens para o Oeste e viajaram pelos Estados Unidos em busca de lares e famílias. Muitas crianças perderam os pais em epidemias. Outras eram crianças de imigrantes passando por apuros financeiros. Algumas eram órfãs da Guerra Civil, outras do álcool.

Mas elas precisavam de um lar. Colocadas nos trens em grupos de trinta a quarenta, elas paravam em áreas rurais para inspeção. As crianças eram alinhadas na plataforma como gado em um leilão. Os pais em potencial faziam perguntas, avaliavam a saúde e até mesmo examinavam os dentes. Se fossem selecionadas, as crianças iam para a casa deles. Se não, voltavam para o trem.

O Trem dos Órfãos.

Lee Nailling recorda a experiência. Ele estava vivendo havia dois anos no Jefferson County Orphan Home quando, aos oito anos de idade, foi levado com os dois irmãos mais novos para uma estação ferroviária na cidade de Nova York. No dia anterior, o pai biológico entregara a ele um envelope cor-de-rosa que continha seu nome e endereço. Ele havia dito ao garoto que escrevesse assim que chegasse ao destino. O garoto colocara o envelope no bolso do casaco, assim ninguém poderia tirá-lo dele. O trem embarcou para o Texas. Lee e os irmãos adormeceram. Quando acordou, o envelope havia sumido.

Ele nunca mais o viu.

O que eu adoraria contar a vocês é que o pai de Lee o encontrou. O homem não queria passar mais nenhum segundo sem seus filhos. Vendeu tudo o que tinha para que pudesse reunir a família. Adoraria descrever o momento em que Lee ouviu seu pai dizer: "Filho, sou eu! Vim por você." A biografia de Lee Nailling, porém, não contém esse evento.

Mas a sua tem.

> Há muito tempo, até mesmo antes de criar o mundo, Deus amou-nos e escolheu-nos em Cristo para sermos santos e sem defeitos aos olhos dele. Seu plano invariável sempre foi adotar-nos em sua própria família trazendo-nos para si mesmo através de Jesus Cristo. E isso deu a ele grande satisfação (Efésios 1:4,5 - Tradução livre).

Há algo em você que Deus ama. Não apenas aprecia ou aprova, mas ama. Você faz com que os olhos dele se abram, o coração dele bata mais rápido. Ele ama você. E ele aceita você.

Não ficamos ansiosos para saber disso? Jacó ficava. O Antigo Testamento relata a história dessa alma ardilosa, astuta, escorregadia, que não fazia nada além de enganar seu pai em prol dos próprios objetivos. Ele passou sua juventude colecionando esposas, dinheiro e gado, da mesma maneira que alguns homens hoje ainda colecionam esposas, dinheiro e gado. Mas Jacó ficava impaciente. Na meia-idade, tinha uma dor em seu coração que nem as caravanas nem as concubinas conseguiam aliviar. Então ele pegou sua família e pôs-se a caminho de sua casa de campo.

Ele estava a uma curta distância da terra prometida, quando montou uma tenda perto do rio Jaboque e disse à família que seguisse sem ele. Ele precisava ficar sozinho. Com seus medos? Talvez para ganhar coragem. Com seus pensamentos? Uma pausa de filhos e camelos seria bom. Não sabemos por que ele foi até o rio. Mas sabemos sobre um "Homem que se pôs a lutar com ele até o amanhecer" (Gênesis 32:24).

Sim "Homem" com letra maiúscula, pois não era um homem comum. Saltou da escuridão. Por toda a noite os dois lutaram, caindo e rolando na lama do Jaboque. Em certo momento, Jacó levava a melhor do Homem até que o este decidiu resolver o assunto de uma vez por todas. Com um golpe hábil, deixou Jacó contorcido de dor como um toureiro chifrado. O golpe clareou a visão de Jacó e ele percebeu que estava enroscado com Deus. Agarrou o Homem e o segurou com toda sua força. "Não te deixarei ir, a não ser que me abençoes", insistiu (Gênesis 32:26).

Que lição tiramos disso? Deus na lama. Uma briga de unhas e dentes. Jacó agarrando e depois mancando. Parece mais uma briga de contrabandistas do que uma história bíblica. Um pouco bizarra. Mas e o pedido da bênção? Entendo essa parte. Adaptando para nossa linguagem, temos Jacó perguntando: "Deus, eu sou importante para você?"

Eu perguntaria a mesma coisa. Dado o encontro face a face com o Homem, eu aventuraria: "Você sabe quem sou eu? No plano geral das coisas, eu conto para alguma coisa?"

Muitas mensagens nos dizem que não. Somos demitidos dos nossos empregos, expulsos da escola. Tudo, da acne ao Alzheimer faz-nos sentir como uma garota sem par para o baile de formatura.

Reagimos. Validamos nossa existência com muitas atividades. Fazemos mais, compramos mais, alcançamos mais. Como Jacó, nós lutamos. Todas as nossas lutas, suponho eu, são meramente para fazer esta pergunta: "Sou importante?"

Toda a graça, acredito eu, é a resposta definitiva de Deus. "Abençoado seja, meu filho. Eu o aceito. Adotei-o na minha família."

Filhos adotivos são filhos escolhidos.

Não é o que acontece com filhos biológicos. Quando o médico entregou Max Lucado a Jack Lucado, meu pai não tinha outra saída. Nenhuma escapatória. Nenhuma escolha. Ele não podia me devolver ao médico e pedir um filho mais bonito ou mais esperto. O hospital fê-lo levar-me para casa.

Mas, se você fosse adotado, seus pais o teriam escolhido. As gravidezes surpresas acontecem. Mas adoções surpresa? Nunca ouvi falar. Seus pais poderiam ter escolhido gênero, cor ou ancestralidade diferentes. Mas selecionaram você. Eles queriam você na família.

Você contesta. "Ah, mas se eles pudessem ter visto o resto de minha vida, eles poderiam ter mudado de ideia." Exatamente minha opinião.

Deus viu nossa vida por inteiro do início ao fim, do nascimento ao caixão, e, apesar do que viu, ele ainda estava convencido "a adotar-nos em sua própria família trazendo-nos para si mesmo através de Jesus Cristo. E isso deu a ele grande satisfação" (Efésios 1:5).

Podemos agora viver como "filhos de Deus; e pelo poder do Espírito dizemos com fervor a Deus: 'Pai, meu Pai!' [...] Nós somos seus filhos, e por isso receberemos as bençãos que ele guarda para o seu povo, e também receberemos com Cristo aquilo que Deus tem guardado para ele" (Romanos 8:15,17 NTLH).

É simples assim.

Aceitar a graça de Deus é aceitar a oferta de Deus de ser adotado em sua família.

Sua identidade não são suas posses, talentos, tatuagens, glórias ou realizações. Nem você é definido por seu divórcio, deformidade, dívida ou escolhas tolas. Você é filho de Deus. Você pode chamá-lo de "Papai". Você tem "livre acesso a Deus em confiança" (Efésios 3:12). Você recebe as bênçãos do seu amor especial (1João 4:9-11) e provisão (Lucas 11:11-13). E você herdará as riquezas de Cristo e reinará com ele para sempre (Romanos 8:17).

A adoção é horizontal e vertical. Você está incluído na família eterna. As paredes divisórias de hostilidade são derrubadas e a comunidade é criada com base em um pai comum. Família instantânea mundial!

Em vez de ficar imaginando motivos para sentir-se bem com relação a si mesmo, confie no veredito de Deus. Se Deus o ama, é porque você deve ser digno de amor. Se ele quer tê-lo no reino dele, então é porque você deve ser digno disso. A graça de Deus convida-o — não, *exige* de você — a mudar de atitude sobre si mesmo e tomar partido de Deus contra seus próprios sentimentos de rejeição.

Há muitos anos viajei para a casa de minha mãe no oeste do Texas para visitar meu tio. Ele viera da Califórnia para visitar o túmulo de meu pai. Ele não conseguira ir ao funeral alguns meses antes.

Tio Billy me lembrava meu pai. Eles eram muito parecidos: corpo quadrado e pele avermelhada. Rimos, conversamos e recordamos. Quando chegou o momento de ir embora, tio Billy seguiu-me até meu carro. Paramos para nos despedirmos. Ele colocou sua mão no meu ombro e disse: "Max, quero que saiba, seu pai tinha muito orgulho de você."

Contive minha emoção até sair dali. Então, comecei a chorar como um garoto de seis anos.

Nunca superamos nossa necessidade do amor de um pai. Estamos condicionados a recebê-lo. Posso ser o tio Billy da sua vida? A mão no seu ombro é minha. As palavras são de Deus. Receba-as lentamente. Não as filtre, resista, subestime ou desvie delas. Apenas as receba.

> MEU FILHO, QUERO VOCÊ NO MEU REINO. DISSIPEI SUAS TRANSGRESSÕES COMO AS NUVENS MATUTINAS, SEUS PECADOS COMO A NÉVOA DA MANHÃ. EU O REDIMI. A TRANSAÇÃO ESTÁ SELADA; O ASSUNTO ESTÁ LIQUIDADO. EU, DEUS, FIZ MINHA ESCOLHA. ESCOLHO VOCÊ PARA FAZER PARTE DA MINHA FAMÍLIA ETERNA.

Deixe que essas palavras cimentem em seu coração a confiança profunda, satisfatória e dissipadora de medos de que Deus nunca deixará você. Você pertence a ele.

Lee Nailling teve essa experiência de segurança. Lembra-se do garoto de oito anos, órfão, que perdeu a carta do pai? As coisas pioraram antes de melhorarem. Ele e os dois irmãos foram levados para várias cidades. No sexto dia, alguém adotou um dos irmãos em uma pequena cidade do Texas. Em seguida, uma família escolheu Lee e o outro irmão. Mas logo Lee foi enviado a outro lar, o lar de uma família rural, mas ele nunca estivera em uma fazenda antes. O garoto da cidade não sabia que não podia abrir as portas dos galinheiros. Quando Lee fez isso, o fazendeiro, furioso, o mandou embora.

Em uma sucessão de eventos tristes, Lee perdeu o pai, viajou de trem de Nova York para o Texas, foi separado dos dois irmãos e expulso de dois lares. Seu coraçãozinho estava prestes a quebrar. Finalmente, ele foi levado para a casa de um homem alto e uma mulher baixinha e rechonchuda. Durante o primeiro jantar, Lee não disse nada. Foi para cama fazendo planos de fugir. Na manhã seguinte, eles o sentaram em uma mesa de café da manhã servida com paezinhos e molho de carne. Quando ele pegou um... Bem, vou deixar que ele conte o que aconteceu.

A sra. Nailling me parou. "Não até agradecermos", ela explicou. Observei enquanto eles inclinavam a cabeça. A sra. Nailling começou a falar suavemente ao "Pai nosso", agradecendo-lhe pela comida e pelo lindo dia. Eu sabia o suficiente sobre Deus para saber que o "Pai nosso" da mulher era o mesmo que estava na oração "Pai nosso que estás no céu" que os pregadores visitantes recitavam para nós no orfanato. Mas eu não entendia por que ela estava falando com ele como se ele estivesse sentado ali, conosco, esperando que compartilhássemos dos paezinhos. Comecei a me contorcer na cadeira.

Então, a sra. Nailling agradeceu a Deus "pelo privilégio de criar um filho." Eu a olhava fixamente quando ela começou a sorrir. Ela estava me chamando de privilégio. E o sr. Nailling devia concordar com ela, porque ele também começou a sorrir. Pela primeira vez, desde que subi no trem, comecei a relaxar. Um sentimento estranho e caloroso começou a preencher minha solidão e eu olhei para a cadeira vazia ao meu lado. Talvez, de alguma maneira misteriosa, o "Pai nosso" estava sentado ali, e estava ouvindo as próximas palavras ditas. "Ajude-nos a fazer as escolhas certas enquanto o orientamos e ajude-o a fazer as escolhas certas também."

"Mãos à obra, filho." A voz do homem me assustou. Eu não tinha nem percebido o "amém." Minha mente parou na parte das "escolhas." Enquanto enchia meu prato, pensei sobre isso. Ódio, raiva e fuga pareciam ser minhas únicas escolhas, mas talvez houvessem outras. Esse sr. Nailling não parecia tão ruim e essa coisa de ter um "Pai nosso" com quem falar sacudiu-me um pouco. Comi em silêncio.

Depois do café da manhã, enquanto me levavam ao barbeiro para cortar os cabelos, paramos em cada uma das seis casas no caminho. Em todas elas, os Naillings me apresentavam como "nosso novo filho". Quando saímos da última casa, eu sabia que, ao amanhecer do dia seguinte, eu não fugiria. Havia uma sensação de lar que nunca sentira antes. Ao menos, eu podia escolher dar uma chance. E havia algo mais. Embora eu não soubesse onde papai estava ou como eu poderia escrever para ele, eu tinha uma forte sensação de que encontrara não um, mas dois novos pais e que eu podia falar com os dois. E foi assim que aconteceu.[1]

Viver como filho de Deus é saber que, neste instante, você é amado pelo Criador não porque você tenta agradá-lo e ter sucesso, ou fracassa em agradá-lo e desculpa-se, mas porque ele quer ser seu Pai. Nada mais. Todos os seus esforços de ganhar a afeição dele são desnecessários. Todos os seus medos de perder a afeição dele são sem necessidade. Você não pode fazê-lo querer você mais do que você pode convencê-lo a abandoná-lo. A adoção é irreversível. Você tem um lugar à mesa.

Capítulo 11

Céu: garantido

É bom que o nosso coração seja fortalecido pela graça.
— Hebreus 13:9

"Que eu não perca nenhum dos que ele me deu."
— João 6:39

Não somos nós que guardamos os seus mandamentos primeiro, e, então, ele nos ama. Ele nos ama, e, assim, guardamos os seus mandamentos.
— Agostinho

A graça é o dom de termos a certeza de que nosso futuro, até mesmo nossa morte, será mais esplêndida do que ousamos imaginar.
— Lewis Smedes

Confie que Deus se mantém mais firme em você
do que você se mantém firme em Deus.

Cobiço um cartão de embarque. Vi um no bolso do casaco de um homem grisalho que estava sentado ao meu lado. Ele lê um livro de mistério com olhos semicerrados. Uma bengala apoiada na perna. No momento em que os olhos dele se fecham, planejo pegar o cartão do seu bolso e fugir como um cão escaldado, sumir na multidão e reaparecer apenas no momento de embarcar. Ele nunca saberá o que aconteceu.

Desesperado? Como um rato em uma ratoeira. Meu voo foi cancelado. O próximo está lotado. Se eu perdê-lo, estarei preso aqui até amanhã pela manhã. Pessoas querendo viajar reúnem-se como gado na área de espera de um curral. Eu fico mugindo entre eles. Minutos antes implorei à atendente: "Leve-me para casa, sim? Qualquer coisa que voe está bom: 747, jato regional, avião pulverizador, asa-delta, pipa. Qualquer assento está bom. Posso sentar no banheiro, se necessário." Deslizo um cartão de presente do Starbucks pelo balcão na direção dela. Ela revirou os olhos, nada impressionada, como se somente dinheiro vivo fosse corrompê-la.

"Seu nome está na lista de espera."

Gemido. A temida lista de espera. O equivalente aos testes de beisebol — no campo, mas não na equipe. Possibilidade, mas nenhuma garantia. Os passageiros em espera pontuam cada pensamento com um ponto de interrogação. Estou condenado a uma vida de comida de aeroporto? O Sky Club vai aceitar meu cartão de crédito? É por isso que eles chamam aeroporto de terminal?

Os passageiros com bilhetes, por sua vez, relaxam como um professor no primeiro dia de verão. Eles leem revistas e folheiam jornais. De vez em quando erguem os olhos para nós — com pena —, os camponeses da espera. Para ser numerado entre os confirmados.

Para ter meu próprio número de assento e hora de partida. Como você pode descansar se não tem assegurada a passagem para o último voo para casa?

Muitas pessoas não conseguem. Muitos cristãos não conseguem. Vivem com uma ansiedade profunda em relação à eternidade. Eles pensam que estão salvos, esperam que estejam salvos, mas ainda duvidam, se perguntando: estou realmente salvo?

Essa não é uma pergunta meramente acadêmica. As crianças que aceitam a Cristo fazem-na. Os pais dos pródigos fazem-na. Também a fazem os amigos do perverso. Ela paira no coração do combatente. Penetra os pensamentos dos moribundos. Quando esquecemos nosso voto a Deus, ele se esquece de nós? Deus nos coloca na lista de espera?

Nosso comportamento nos dá motivos para imaginar. Estamos fortes em um dia, fracos no outro. Devotados em um momento, esmorecidos em outro. Acreditando, depois desacreditando. Nossa vida reflete os contornos de uma montanha-russa, altos e baixos.

A sabedoria convencional cria uma linha no meio dessas flutuações. Aja acima dessa linha e aprecie a aceitação de Deus. Mas mergulhe abaixo dela e espere uma carta de dispensa do céu. Nesse paradigma, uma pessoa se perde e é salva múltiplas vezes por dia, dentro e fora do reino, regularmente. A salvação torna-se uma questão de tempo. Você simplesmente espera morrer em ascensão. Não tem segurança, estabilidade ou confiança.

Esse não é o plano de Deus. Ele desenha uma linha, certamente. Mas ele a desenha debaixo de seus altos e baixos. A linguagem de Jesus não poderia ser mais forte. "Eu lhes dou a vida eterna, e elas jamais se perderão ou perecerão; [Por toda a eternidade elas nunca poderão ser destruídas.] ninguém é capaz de arrancá-las da minha mão" (João 10:28, tradução livre).

Jesus prometeu uma nova vida que poderia ser fortificada ou terminada. "Quem ouve a minha palavra e crê naquele que me enviou, tem a vida eterna e não será condenado, mas já passou da morte para a vida" (João 5:24). Pontes são queimadas e a transferência está completa. Fluxos e refluxos continuam, mas eles nunca desclassificam. Altos e baixos podem marcar nossos dias, mas nunca nos expulsam do reino dele. Jesus conclui nossa vida com graça.

Além disso, Deus reclama seu direito sobre nós. "Nos selou como sua propriedade e pôs o seu Espírito em nossos corações como garantia do que está por vir" (2Coríntios 1:22). Você fez algo parecido: estampou seu nome em um anel de compromisso, gravou sua identidade em uma ferramenta ou no iPad. Os boiadeiros marcam o gado com a marca da fazenda. Estampar declara propriedade. Pelo seu Espírito, Deus nos estampa. Futuros conquistadores são repelidos pela presença de seu nome. Satanás é rechaçado pela declaração: "Tire as mãos. Este filho é meu! Eternamente, Deus."

A salvação esporádica nunca aparece na Bíblia. A salvação não é um fenômeno repetido. A Escritura não contém nenhum exemplo de uma pessoa que tenha sido salva, depois perdida, em seguida salva de novo e, então, perdida outra vez.

Onde não há segurança de salvação, não há paz. Nenhuma paz significa nenhuma alegria. Não há alegria em uma vida baseada no medo. É essa a vida que Deus cria? Não. A graça cria uma alma confiante que declara: "Sei em quem tenho crido e estou bem certo de que ele é poderoso para guardar o meu depósito até aquele dia" (2Timóteo 1:12).

De tudo o que não sabemos na vida, sabemos isto: nós temos o cartão de embarque. "Escrevi-lhes estas coisas, a vocês que creem no nome do Filho de Deus, para que vocês saibam que têm a vida eterna" (1João 5:13). Confie que Deus se mantém mais firme em você do que você se mantém firme em Deus. A fidelidade dele não depende da sua. O desempenho dele não está fundamentado no seu. O amor dele não é dependente do seu. A chama de sua vela pode tremeluzir, mas não se apagará.

Você acha difícil acreditar nessa promessa? Os discípulos acharam.

Na noite anterior à sua morte, Jesus fez este pronunciamento: "Ainda esta noite todos vocês me abandonarão. Pois está escrito: 'Ferirei o pastor, e as ovelhas do rebanho serão dispersas'. Mas, depois de ressuscitar, irei adiante de vocês para a Galileia" (Mateus 26:31,32).

Nesse ponto, os discípulos já conheciam Jesus havia três anos. Passaram mil noites com ele. Conheciam seu caminhar de passos largos, seu sotaque e seu senso de humor. Conheciam seu hálito, ouviram-no roncar e viram-no palitar os dentes após o jantar. Testemunharam milagres que conhecemos e incontáveis que não conhecemos. Pães multiplicados. Leprosos purificados. Viram-no transformar água em vinho e uma lancheira em um bufê. Desenrolaram panos fúnebres de um Lázaro ressuscitado. Viram lama cair dos olhos de um ex-cego. Por três anos, esses recrutas haviam aproveitado os assentos na primeira fila do setor central para a melhor exibição do céu. E como eles responderiam?

"Todos vocês me abandonarão", Jesus disse a eles. Desaparecerão. Darão as costas. Fugirão. As promessas deles derreteriam como cera em uma calçada no verão. A promessa de Jesus, contudo, continuaria firme. "Mas, depois de ressuscitar, irei adiante de vocês para a Galileia" (v. 32). Tradução: sua queda será grande, mas minha graça será maior. Tropecem e eu os pegarei. Dispersem-se e eu os reunirei. Deem as costas a mim e eu os virarei na minha direção. Vocês me encontrarão esperando por vocês na Galileia.

A promessa estava perdida para Pedro. "Ainda que todos te abandonem, eu nunca te abandonarei" (v. 33).

Não foi um dos melhores momentos de Pedro. "Ainda que todos..." Arrogante. "Nunca te abandonarei." Autossuficiente. A confiança de Pedro estava na própria força. Mesmo assim, a força de Pedro o deixaria na mão. Jesus sabia disso. "Simão, Simão, Satanás pediu vocês para peneirá-los como trigo. Mas eu orei por você, para que a sua fé não desfaleça. E quando você se converter, fortaleça os seus irmãos" (Lucas 22:31,32).

Satanás atacaria e testaria Pedro. Mas ele nunca teria direito a Pedro. Por quê? Por que Pedro era forte? Não, porque Jesus era. "Orei por você." As orações de Jesus por um dos seus paralisa Satanás. Essa pessoa pode tropeçar por um momento, mas nunca cairá completamente.

Jesus também ora por você. "Pai santo, protege-os em teu nome, o nome que me deste, para que sejam um, assim como somos um [...] Minha oração não é apenas por eles. Rogo também por aqueles que crerão em mim, por meio da mensagem deles" (João 17:11,20).

Deus ouvirá os apelos intercessores de seu Filho? É claro que ouvirá. Como Pedro, podemos ser peneirados como trigo. Nossa fé enfraquecerá, nossas resoluções oscilarão; mas não cairemos. Somos "guardados por Jesus" (Judas v. 1) e "protegidos pelo poder de Deus" (1Pedro 1:5). E esse poder não é pequeno. É o poder de um Salvador vivo e sempre persistente.

Mas alguém não pode por algum momento aproveitar-se dessa segurança? Sabendo que Deus o apanhará se cair, ele não pode cair de propósito? Sim, pode, por um tempo. Mas conforme a graça se aprofunda, conforme o amor e a bondade de Deus penetram, ele mudará. A graça promove a obediência.

Considere a história de José, o herói do Antigo Testamento. Os irmãos dele o venderam aos comerciantes do deserto, que, por sua vez, venderam-no a Potifar, um alto oficial no Egito. Durante seu período como servo na casa de Potifar, José aproveitou o favor de Deus. "O SENHOR estava com José, de modo que este prosperou... O SENHOR estava com ele e o fazia prosperar em tudo o que realizava... O SENHOR abençoou a casa do egípcio por causa de José. A bênção do SENHOR estava sobre tudo o que Potifar possuía" (Gênesis 39:2, 3, 5). O narrador certifica-se de que cheguemos a esse ponto. Deus foi bom com José. Tão bom, na verdade, que Potifar deixou tudo sob a supervisão de José. Ele transferiu a casa para José.

O que poderia ter sido um erro, pois Potifar estava fora, e sua mulher se interessou por José. Ela "cobiçou-o". Os cílios dela tremiam, os lábios prontos para beijar. Ela "começou a cobiçá-lo e o convidou: 'Venha, deite-se comigo!'" (v. 7).

A tentação provavelmente era muito forte. José era, afinal, um homem jovem, sozinho, em uma terra distante. Certamente Deus entenderia um breve flerte, certo?

Errado. Observe as palavras fortes de José: "Como poderia eu cometer algo tão perverso e pecar contra Deus?" (v. 9).

A bondade de Deus provocava a santidade de José.

A graça de Deus faz o mesmo em nós. "A graça de Deus se manifestou salvadora a todos os homens." Ela nos ensina a renunciar à impiedade e às paixões mundanas e a viver de maneira sensata, justa e piedosa nesta era presente" (Tito 2:11,12). Que graça robusta, que tanto convence quanto conforta! Deixe-a convencer você. Se você se pegar pensando em convencer "posso fazer o que quiser porque Deus me perdoará", então a graça não estará acontecendo para você. Egoísmo, talvez arrogância, certamente. Mas graça? Não. A graça cria uma resolução de fazer o bem, não uma permissão para fazer o mal.

E deixe a graça confortá-lo. Confie em Cristo do início ao fim. Ele é o Alfa e o Ômega. Ele o defenderá. E defenderá todos a quem você ama. Você tem um "filho pródigo"? Você anseia para que sua esposa volte para Deus? Você tem um amigo cuja fé esfriou? Deus os quer de volta mais do que você. Continue orando, e não desista.

Barbara Leininger não desistiu. Ela e a irmã, Regina, eram filhas de imigrantes alemães que se estabeleceram em Colonial, Pensilvânia, e as duas garotas tinham onze e nove anos quando foram sequestradas. Em um dia de outono, em 1755, as irmãs estavam na cabana, na fazenda, com o irmão e o pai quando dois índios guerreiros abriram a porta com força. Muitos dos nativos na área eram amistosos, mas não esses dois. Barbara e Regina ficaram juntas, encolhidas, enquanto o pai dava um passo à frente. Sua esposa e o outro filho estavam passando o dia no moinho. Estavam em segurança, mas as duas filhas não.

Ele ofereceu comida e tabaco aos índios. Disse às garotas que pegassem um balde d'água, que os homens deviam estar com sede. Enquanto as garotas se apressavam pela porta, ele falava com elas em alemão dizendo que não voltassem até que os índios tivessem ido embora. Elas correram até o riacho mais próximo. Enquanto pegavam água, um tiro ressoou. Esconderam-se no mato e observaram a cabana ser consumida pelas chamas. O pai e o irmão nunca saíram, mas os dois guerreiros sim.

Encontraram as garotas escondidas e as levaram com eles. Outros guerreiros e prisioneiros logo apareceram. Barbara percebeu que ela e Regina eram apenas duas das muitas crianças que sobreviveram a um massacre. Os dias se transformaram em semanas, enquanto os índios levavam os prisioneiros para o Oeste. Barbara fazia o máximo para ficar perto de Regina para encorajá-la. Ela lembrava Regina da canção que a mãe ensinara:

Sozinho, mas não só
Embora na solidão tão sombria
Sinto meu Salvador sempre junto a mim
Ele vem nas horas exaustivas para animar
Estou com ele e ele comigo
Portanto, não posso estar solitário.[1]

As garotas cantavam uma para outra, enquanto adormeciam à noite. Desde que estivessem juntas, acreditavam que poderiam sobreviver. Em um determinado ponto, entretanto, os índios se dispersaram, separando as irmãs. Barbara tentou segurar-se em Regina e soltou a mão dela somente sob ameaça de morte.

As duas garotas foram levadas em direções opostas. A jornada de Barbara continuou por várias semanas, cada vez mais floresta adentro. Finalmente, a vila indígena apareceu. Ficou claro que ela e as outras crianças deveriam esquecer os pais. Não era permitido falar inglês, somente iroquoian. Eles cultivavam a terra e curtiam o couro. Vestiam calças de couro e mocassins. Ela perdeu completamente o contato com a família e com os colonizadores que conhecia.

Três anos depois, Barbara escapou. Ela correu pela floresta por onze dias, chegando, finalmente, em segurança em Fort Pitt. Implorou para que os oficiais enviassem um grupo de resgate para procurar por Regina. Eles explicaram a ela que essa missão seria impossível e conseguiram que ela se reunisse com a mãe e o irmão. Ninguém tinha notícias de Regina.

Barbara pensava na irmã diariamente, mas a sua esperança só se concretizou seis anos depois. Ela havia casado e constituído a própria família, quando recebeu a notícia de que 206 prisioneiros foram resgatados e levados a Fort Carlisle. Estaria Regina entre eles?

Barbara e a mãe foram até lá para descobrir. A aparência dos refugiados as deixou espantadas. A maioria deles passaram anos isolados nas vilas, separados dos colonizadores. Estavam magros e confusos; e tão pálidos que se confundiam com a neve.

Barbara e a mãe caminharam para cima e para baixo, chamando Regina, buscando rostos e falando alemão. Ninguém olhava ou respondia. A mãe e a filha viraram-se com lágrimas nos olhos e disseram ao coronel que Regina não estava entre os resgatados.

O coronel insistiu para que se certificassem. Ele pediu que identificassem sinais como cicatrizes ou marcas de nascença. Não havia nenhuma. Perguntou sobre objetos de família, como colares ou pulseiras. A mãe balançou a cabeça negativamente. Regina não estava usando nenhuma joia. O coronel teve uma última ideia: havia alguma memória ou canção de infância?

Os rostos das duas mulheres se iluminaram. E a canção que cantavam todas as noites? Barbara e a mãe imediatamente viraram-se e começaram a caminhar lentamente pelas fileiras. Enquanto caminhavam, cantavam, "Sozinho, mas não só..." Por um longo tempo ninguém respondeu. Os rostos pareciam confortados pela canção, mas ninguém reagia a ela. Então, de repente, Barbara ouviu um choro alto. Uma garota alta, magra, veio correndo da multidão em direção à mãe, abraçou-a e começou a cantar o verso.

Regina não reconhecera a mãe ou a irmã. Esquecera como falar inglês ou alemão. Mas lembrava-se da canção que fora colocada no coração dela quando garotinha.[2]

Deus coloca uma canção nos corações de seus filhos, também. Uma canção de esperança e vida. "Pôs um novo cântico na minha boca" (Salmos 40:3). Alguns santos cantam essa música alto e recordam cada dia de suas vidas. Em outras situações, a canção se torna silenciosa. As mágoas e os acontecimentos calam a música interior. Passam longas temporadas sem que a canção de Deus seja cantada.

Quero ser bem cuidadoso aqui. A verdade é que nem sempre sabemos se alguém confiou na graça de Deus. Uma pessoa pode ter uma crença simulada, mas não real.[3]

Não cabe a nós saber. Mas sabemos de uma coisa: onde há uma real conversão, há uma eterna salvação. Nossa tarefa é confiar na habilidade de Deus de chamar seus filhos de volta para casa. Unimo-nos a Deus enquanto ele caminha cantando entre os filhos rebeldes e feridos.

Finalmente, os seus ouvirão a sua voz e algo dentro deles despertará. E, quando isso acontecer, eles começarão a cantar novamente.

Conclusão

Quando a graça acontece

Fortifique-se na graça que há em Cristo Jesus.
— 2Timóteo 2:1

Vocês serão mudados de dentro para fora [...]
Deus extrai o melhor de vocês e desenvolve
em vocês uma verdadeira maturidade.
—Romanos 12:2 MSG

Embora o trabalho de Cristo esteja terminado para
o pecador, não está ainda terminado no pecador.
— Donald G. Bloesch

Eu não consigo entender o mistério da graça
por inteiro — apenas que ela nos encontra onde
estivermos, mas não nos deixa onde nos encontrou.
— Anne Lamott

Mais verbo do que substantivo, mais tempo presente do que passado, a graça não simplesmente aconteceu; ela acontece.

Crianças de dez anos levam os presentes de Natal muito a sério. Ao menos nós da turma de quarta-série da professora Griffin levávamos. A troca de presentes nas festas era mais importante do que a eleição para presidente, o sorteio da Liga Nacional de Futebol e a parada de 4 de julho. Conhecíamos bem o procedimento. No dia anterior à pausa de Ação de Graças, a professora Griffin escrevia os nomes de cada um de nós em um pedaço de papel, colocava as tiras em um boné de beisebol e sacudia. Um a um, íamos até a mesa dela e retirávamos o nome da pessoa a quem daríamos o presente.

Sob a "lei da Convenção de Genebra sobre Troca de Presentes", éramos instruídos a manter a identidade do nosso beneficiário em segredo. Não podíamos revelar o nome do sorteado. Não contávamos a ninguém para quem estávamos comprando o presente. Mas contávamos para todos o que queríamos. De que outra maneira poderiam saber? Soltávamos as dicas como o inverno canadense solta a neve, todo dia em todo lugar. Fiz com que cada colega soubesse o que eu queria: um brinquedo chamado "sexto dedo".

Em 1965, todos os garotos norte-americanos queriam um sexto dedo. Decoramos o slogan: "Sexto dedo, sexto dedo, não resisto! Como eu me virava só com cinco?" O sexto dedo era mais do que um brinquedo. Sim, de fato. Podia lançar uma bombinha, um míssil de mensagem, munição secreta e um sinal de SOS. Ora, ele até mesmo tinha uma caneta esferográfica escondida. Quem poderia viver sem o sexto dedo? Eu não. E me certifiquei de que os outros doze alunos da classe da professora Griffin soubessem disso.

Mas Carol não estava prestando atenção. Carolzinha, com rabo de cavalo, sardas e sapatos pretos brilhantes. Não deixe que a doce aparência dela o engane. Ela partiu meu coração. Pois, no dia da grande troca de presentes, rasguei o papel de embrulho da minha caixa para encontrar apenas papel de carta. Você leu corretamente. Papel de carta! Envelopes marrons com cartões dobrados que traziam a imagem de um vaqueiro laçando um cavalo. Que garoto de dez anos usa papel de carta?

Há um termo para esse tipo de presente: obrigatório. O presente "preciso dar alguma coisa." O presente tipo "ops, quase esqueci de comprar algo."

Posso imaginar a cena na casa da Carolzinha naquela manhã fatídica de 1965. Ela tomando seu café da manhã. A mãe levanta a questão da festa de Natal da turma.

— Carol, você precisa levar algum presente para a escola?

Carolzinha deixa a colher cair no seu cereal.

— Esqueci! Preciso levar um presente para o Max.

— Para quem?

— Para o Max, meu colega bonito, que é excelente em todos os esportes e em todas as matérias, extremamente educado e humilde.

— E você está me dizendo isso só agora? — pergunta a mãe da Carol.

— Esqueci! Mas eu sei o que ele quer. Ele quer um sexto dedo.

— Uma prótese?

— Não. Um sexto dedo. "Sexto dedo, sexto dedo, não resisto! Como eu me virava só com cinco?"

A mãe da Carol faz uma gracinha.

— Humpf. Sexto dedo é a minha tia Edna.

Ela vai até a despensa e começa a procurar... bem, a procurar. Ela encontra meias soquete que o filho descartou e uma vela perfumada em formato de dinossauro. Ela quase escolhe uma caixa de canetas Bic, mas, então, ela enxerga o papel de carta.

Carol cai de joelhos e implora:

— Não faça isso, mamãe. Não dê a ele papel de carta com um pequeno vaqueiro laçando um cavalo. Quarenta e sete anos depois ele descreverá este momento na conclusão de um livro. Você realmente quer ser lembrada como aquela que deu um presente obrigatório?

— Pura bobagem — discorda a mãe de Carol. — Dê a ele o papel de carta. Esse garoto está destinado à prisão de qualquer maneira. Ele vai ter bastante tempo para escrever cartas lá.

E, assim, ela me deu o presente. E o que eu fiz com ele? A mesma coisa que você fez com as xícaras de café, o bolo de frutas, o suéter laranja e preto, o creme de mãos da casa funerária e o calendário da companhia de seguros. O que eu fiz com o papel de carta? Dei de presente na festa de Natal do ano seguinte.

Sei que não devemos reclamar. Mas, honestamente, quando alguém dá a você um sabonete em barra de um hotel e diz: "É para você", você não detecta uma falta de originalidade? Porém, quando uma pessoa dá um presente genuíno, você não valoriza a presença da afeição? O suéter tricotado à mão, o álbum de fotos do verão passado, o poema personalizado, o livro do Lucado. Esses presentes convencem-no de que alguém planejou, preparou, guardou, procurou. Decisão de última hora? Não, esse presente era para você.

Você já recebeu esse presente? Sim, já. Desculpe falar em seu nome, mas eu já sei a resposta quando faço a pergunta. Você recebeu um presente personalizado. Feito para você. "Hoje, na cidade de Davi, *lhes* nasceu o Salvador, que é Cristo, o Senhor" (Lucas 2:11, grifo meu).

Um anjo falou essas palavras. Os pastores as ouviram primeiro. Mas o que o anjo disse a eles, Deus diz a todos que ouvem. "Lhes nasceu..." Jesus é o presente.

Ele próprio é o tesouro. A graça é preciosa porque ele é. A graça modifica vidas porque ele modifica. A graça nos protege porque ele nos protege. O presente é o Doador. Descobrir a graça é descobrir a devoção total de Deus para você; a teimosia dele decide dar a você um amor que limpa, cura, purifica, e que restabelece os feridos. Ele fica no alto do morro e ordena que você saia do vale? Não; ele desce e carrega você. Ele constrói uma ponte e ordena que você a atravesse? Não; ele cruza a ponte e o coloca nos ombros. "Isto não vem de vocês, é dom de Deus" (Efésios 2:8).

Esse é o dom que Deus dá. Uma graça que nos concede primeiro o poder de receber o amor e, depois, o poder de dá-lo.

Uma graça que nos muda, nos molda e nos guia para uma vida que é eternamente alterada. Você conhece essa graça? Você confia nessa graça? Se não confia, pode confiar. Tudo o que Deus quer de nós é fé. Coloque sua fé em Deus.

E crie raízes na graça de Deus. Mais verbo do que substantivo, mais tempo presente do que passado, a graça não simplesmente aconteceu; ela acontece. A graça acontece aqui.

O mesmo trabalho que Deus fez
através de Cristo
há muito tempo
em uma cruz
é o trabalho que Deus faz
através de Cristo
neste exato momento
em você.

Deixe-o fazer o trabalho dele. Deixe que a graça triunfe sobre sua história de prisão, crítica e consciência culpada. Veja a si mesmo pelo que você é — projeto pessoal de reconstrução de Deus. Não um mundo para si mesmo, mas um trabalho nas mãos dele. Não mais definido pelos fracassos, mas refinado por eles. Confiar menos no que você faz e mais no que Cristo fez. Menos falta de graça, mais moldado pela graça. Profundamente convencido no substrato de sua alma de que Deus está apenas fazendo o aquecimento desta abertura chamada vida, que essa esperança tem suas razões e a morte tem data de vencimento.

Graça. Deixe que ela, deixe que ele, se infiltrem nas fendas ásperas de sua vida, pois assim tudo suaviza. Depois, deixe que ela, deixe que ele, borbulhem até a superfície, como uma fonte no Saara, em palavras de bondade e feitos de generosidade. Deus vai mudar você, meu amigo. Você é um troféu de sua bondade, um participante de sua missão. Não perfeito, mas o mais próximo à perfeição do que você jamais esteve. Constantemente mais forte, gradualmente melhor, certamente mais próximo.

Isso acontece quando a graça acontece. Deixe que ela aconteça com você.

Guia do Leitor

Kate Etue

A graça é a voz que nos chama à mudança, que faz com que cedamos ao seu poder transformador. A graça é importante porque Jesus é importante e é eficaz porque ele é eficaz. Há aí uma esperança e uma antecipação surpreendentes para cada um de nós, imaginando como nossas vidas podem ser diferentes quando entregues às mãos da graça. Com esse propósito, este guia do leitor é uma ferramenta prática para aprofundar sua compreensão da graça, para descobrir os locais em sua vida onde a graça de Deus flui e identificar as áreas específicas que podem estar necessitando de um toque de graça.

Esse guia compreende doze estudos, um por semana. Ao abrir o estudo de cada semana, você encontrará a leitura essencial das Escrituras para aquela lição. A "Leitura de Graça" determina o palco para o estudo. Ela aponta o tema para a lição da semana, revisitando uma citação do livro. A seguir a "Análise das escrituras." Essas passagens selecionadas têm o propósito de ajudá-lo a pensar com mais profundidade sobre o tema e o verso central da semana. Contemplar a Palavra de Deus ajuda a compreender melhor a graça dele. A seção seguinte, "Perguntas", faz perguntas relacionadas ao caminho em direção à graça: hábitos, perspectivas e relacionamento com Deus. "Clamando a Deus" é um guia à oração, sua conversa pessoal com o Doador da graça. Passe bastante tempo aqui, conversando com Deus e ouvindo-o. Por fim, em "Explore a vida moldada pela graça" você encontrará pensamentos para examinar e passos práticos para seguir que darão à graça um lugar importante na sua vida.

Esse guia funciona como um estudo em grupos pequenos ou estudo individual. Se você for fazer sozinho, decida quantas perguntas quer responder por dia. Ore sobre essa jornada. Peça orientação a Deus sobre como aplicar o que aprendeu. Se estiver participando de um grupo pequeno, responda às perguntas da "Análise das Escrituras" individualmente em casa. Depois, vá à sessão do grupo preparado para discutir as perguntas da seção "Perguntas".

Conforme você vai abrindo seu coração a este estudo, peça a Deus uma compreensão mais profunda da natureza da graça e do seu poder para mudar vidas. Você experimentará a graça de Deus purificando-o de maneiras que o surpreenderão. Lembre-se de que a graça de Deus é seu presente para todos nós: mais do que merecemos, maior do que imaginamos.

Guia do Leitor

Capítulo 1

A vida moldada pela graça

Darei a vocês um coração novo e porei
um espírito novo em vocês.
— Ezequiel 36:26

Leitura de graça

"Aqui está meu palpite: nos conformamos com uma graça débil. Ela ocupa educadamente uma frase em um hino, encaixa-se bem em um símbolo da igreja. Nunca causa confusão nem exige uma resposta. Quando alguém pergunta "Você acredita em graça?" poderíamos dizer não? Esse livro faz uma pergunta mais profunda: Você já foi mudado pela graça? Moldado pela graça? Fortalecido pela graça? Encorajado pela graça? Suavizado pela graça? Agarrado pelo pescoço e sacudido até perder os sentidos pela graça? ... A graça é a voz que nos invoca a mudar e, assim, dá-nos o poder de sermos bem sucedidos."

Análise das Escrituras

1. Explore o que estes versos dizem sobre a graça de Deus:
   João 1:16–17
   Romanos 1:5
   Romanos 5:19–6:2
   1Coríntios 15:10
   2Coríntios 12:7-9
   Efésios 2:8-9
2. Com base no estudo da Escritura acima, como você agora definiria a graça divina? O que implica sua definição para a vida de um seguidor de Cristo?
3. Leia Romanos 12:9-21. Explique como a graça pode ajudar-nos a alcançar as metas dessa passagem. Qual é o nosso papel para alcançar essa transformação?

4. Leia Gálatas 2:15-21 e 3:10-29. Com base nessas passagens, por que você acha que a graça foi uma ideia tão radical para os primeiros cristãos? Por que é uma ideia radical até mesmo para nós hoje?
5. A Escritura nos diz para "cuidar que ninguém se exclua da graça de Deus" (Hebreus 12:15 NVI). Qual é a nossa responsabilidade, como cristãos, com as pessoas que encontramos todos os dias? Pense em maneiras específicas com que você pode comunicar a graça de Deus às diferentes vidas que você toca em um determinado dia:
   - estranhos que você encontra brevemente em restaurantes, lojas, na calçada, etc.
   - membros da família
   - amigos que não conhecem o Senhor
   - colegas de trabalho
   - conhecidos casuais (pessoas que você vê regularmente, mas que não conhece de forma pessoal, como o carteiro, farmacêutico, caixa do mercado, etc.)

Perguntas

1. Como o capítulo 1 de *Graça expande ou apoia sua compreensão da "ação" da graça?*
2. Discuta as inúmeras maneiras que usamos a palavra graça. Como isso contribuiu para o conceito de uma graça "fraca"?
3. Pense no seu dia a dia por um momento. Qual o papel da graça em suas decisões, seus relacionamentos e seus pensamentos?
4. Você sente que precisa organizar sua vida antes de Deus aceitá-lo? Você certifica-se de que os outros vejam suas boas obras? Você vai para a cama sentindo-se culpado por não ter lido uma determinada quantidade da Escritura naquele dia? Ou você descobre-se continuando com os velhos hábitos que precisam mudar porque acredita que Deus o perdoará?
5. Max diz que, de todas as religiões, somente o cristianismo declara a "presença viva de seu fundador em seus seguidores." Por que

essa diferença é importante? Como esse fato afeta a vida do seguidor?

6. Pense em alguém que vive uma vida moldada pela graça. O que você vê nessa pessoa que você gostaria de usar como modelo em sua própria vida?
7. Como sua família, seus amigos, seu trabalho, sua casa e os outros seriam afetados caso você deixasse Deus substituir seu coração pelo dele? Se ele colocasse o paraíso dentro de você? Seja específico: Como as coisas mudariam para as pessoas ao seu redor?
8. Pergunte a si mesmo:
   Você já foi mudado pela graça?
   Moldado pela graça?
   Fortalecido pela graça?
   Encorajado pela graça?
   Suavizado pela graça?
   Agarrado pelo pescoço e sacudido até perder os sentidos pela graça?

Clamando a Deus

Pai cheio de graça, não posso esconder nada de ti — nenhum hábito ruim, nenhuma relação tóxica, nenhum pecado secreto. Mas querei tirar-me do lodo e me purificar com tua graça. Sei que desejai trocar meu coração de pedra por um coração novo, cheio de graça. Ó Senhor, faça-me desejar recebê-lo. Libertai-me da minha vida desorganizada para que minhas mãos estejam abertas para recebê-lo de todas as formas. Em nome do teu filho eu oro, amém.

Explore viver moldado em graça

Qual parte da sua vida o incomoda neste momento? Enquanto você orou e fez a si mesmo essas perguntas, há algum problema persistente que precise de atenção? Empenhe-se em deixar que Deus remodele essa parte de seu caráter. Permaneça aberto à orientação dele enquanto a graça realiza essa mudança em você.

Guia do Leitor

Capítulo 2

O Deus condescendente

Assim saberemos que somos da verdade; e tranquilizaremos o nosso coração diante dele quando o nosso coração nos condenar. Porque Deus é maior do que o nosso coração e sabe todas as coisas.

— 1João 3:19,20

Leitura de graça

"Na presença de Deus, em oposição a Satanás, Jesus Cristo ergue-se para defender você. Ele assume o papel do sacerdote... Contemple o fruto da graça: salvo por Deus, ressuscitado por Deus, assentado por Deus. Dotado, equipado e autorizado. Adeus, condenações terrenas: *Estúpido. Improdutivo. Aprendiz lento. Falante rápido. Covarde. Muquirana.* Chega. Você é quem ele diz que você é: *Espiritualmente vivo. Divinamente posicionado. Conectado com Deus. Um quadro de misericórdia.* Um filho honrado. Esse é o perdão poderoso que chamo 'graça' (Romanos 5:20). Satanás é deixado sem palavras e sem munição."

Análise das escrituras

1. O que João 8:2-11 revela sobre como a graça atua em oposição à lei?
2. Leia Romanos 5:20, preferencialmente em duas ou três versões diferentes. Na Nova Versão Internacional, esse verso diz que a graça de Deus "aumentou." Como o encontro de Jesus com a mulher adúltera pode ter sido um exemplo de graça aumentada? Você já teve a experiência de uma graça aumentada? Já testemunhou essa experiência na vida de outras pessoas? Explique.
3. Leia Romanos 8:1-4. Embora essa passagem nos dê a certeza de que não há condenação para aqueles em Cristo Jesus, por que às vezes lutamos para abandonar a culpa ou vergonha pelo nosso passado? Como podemos rejeitar a vergonha e repousarmos em nossa certeza em Cristo?

4. Qual é a diferença entre a boa culpa dada por Deus e as acusações destrutivas de culpa expelida por Satanás? (Leia 2Coríntios 7:11.) Como podemos reorganizar a fonte de nossa culpa?
5. Leia Salmos 86. Quais desses versos fazem revelações sobre a relação entre a graça e o perdão? Como esse salmo encoraja-o a buscar o perdão e a ajuda de Deus?

Perguntas

1. Como nossos corações nos condenam? Por que a voz da condenação é mais alta do que o arauto da graça?
2. Qual é seu maior arrependimento? A que você se volta para encorajamento ou esperança quando você é pego no ciclo de preocupação com seu arrependimento?
3. Deus conhece tudo sobre você, cada partícula. E isso não muda o fato de que ele preencheu você com ele mesmo, com a graça dele e criou você com um propósito único. Qual é seu propósito? Por que Deus escolheu preencher você com ele mesmo? Como a presença de Deus suaviza suas deficiências?
4. Explique a declaração de Max, "A graça é um Deus que se inclina" relacionada a esse capítulo. O que isso quer dizer àqueles que seguem a Cristo hoje?
5. Liste outros exemplos de épocas em que Jesus "inclinou-se" para demonstrar a graça a alguém. O que esses exemplos revelam sobre a natureza da graça?
6. Imagine como seria a vida se você não se preocupasse com seu passado. Imagine-se acordando amanhã sem arrependimentos, sem vergonha e sem sentimentos de fracasso. Como essa realização alteraria sua vida diária, suas decisões, suas ações, suas metas?
7. Você é um mural do perdão de Deus àqueles dentro de seu círculo de influência. Que mensagem as pessoas receberiam ao observarem sua vida? Para que a graça de Deus seja a mensagem de sua vida, há algo que precise ser ajustado, dispensado ou perdoado?

8. O que significa "Deus é maior que nossos corações"? Por que o fato de que Deus conhece tudo nos dá confiança?

Clamando a Deus

Estamos livres da condenação, mas a Escritura nos pede que confessemos nossos pecados a Deus. Nesse ato de confissão, a luz da graça de Deus entra em nossas vidas. Passe algum tempo contando a Deus sobre as acusações e condenações contra você e aceite o coração purificado que ele está oferecendo a você.

Explore viver moldado em graça

Examine sua agenda hoje. Você está muito ocupado para apreciar a graça de Deus? O que você pode eliminar de sua rotina diária para que tenha tempo de regozijar-se no amor dele? Respire fundo e faça algumas escolhas difíceis. Valerá a pena.

Guia do Leitor

Capítulo 3

Oh, doce troca

O Senhor fez cair sobre ele a iniquidade de todos nós.
— Isaías 53:6

Leitura de graça

"O pecado não é um lapso lamentável ou um tropeço ocasional. O pecado arma um golpe contra o regime de Deus. O pecado ataca o castelo, reivindica o trono de Deus e desafia a autoridade dele. O pecado grita 'quero administrar minha própria vida, muito obrigado!' O pecado pede a Deus que saia, suma e não volte. O pecado é a insurreição à ordem mais elevada e você é um insurreto. Assim como toda a pessoa que respira."

Análise das escrituras

1. Leia sobre a avaliação de Pilatos sobre Jesus em Marcos 15:6-10; Lucas 23:4-7; e João 18:28-31. Por que Pilatos queria libertar Jesus? O que isso quer dizer sobre o caráter de Jesus?
2. Leia Lucas 23:18-25. Descreva o caráter e as acusações de Barrabás. Por que ele foi libertado da prisão?
3. O que os versos a seguir revelam sobre a condição pecadora da humanidade?
   Lucas 19:10
   João 3:16
   João 3:36
   2Coríntios 4:3-4
   Efésios 2:1
   Efésios 2:12
4. O que Lucas 19:12-14 nos diz sobre a visão de Jesus sobre o pecado?

5. Como é a penitência para o pecado anulado pelo sacrifício de Cristo? (Consulte Romanos 6:20-23.)

Perguntas

1. Quem ou o quê é o rei em sua vida nesse momento? Como você tem certeza de que honra diariamente o presente da graça?
2. Max diz, "O pecado não é um lapso lamentável ou um tropeço ocasional. O pecado arma um golpe contra o regime de Deus." Pense nos problemas com os quais você luta com frequência. Quais deles você considera tropeços ocasionais e quais se parecem mais como golpes contra o regime de Deus? O que faz a diferença, em sua opinião? Qual a visão de Deus?
3. Porque Deus sabia que pecaríamos, ele elaborou um plano para nos resgatar do executor, tanto que Barrabás foi perdoado por Pilatos. Que resposta emocional você tem para essa verdade? De que maneiras práticas isso motiva ou inspira você?
4. Você já compreendeu que Cristo morreu pelo *mundo* mesmo que você mantenha uma distância segura da verdade de que Cristo morreu por *você*? Ao conhecer os próprios pecados e a necessidade de perdão, você vê Jesus de uma maneira diferente depois de ler esse capítulo?
5. A graça veio a um preço alto. De acordo com o apóstolo Paulo em Romanos 6, quando aceitamos Cristo como Salvador, morremos para o pecado e não somos mais escravizados por ele. "A graça barata" vem com a compreensão da enormidade do sacrifício. Como o presente da graça pode ser abusado, manchado ou diminuído por essa má interpretação?
6. Você já teve o erro de outra pessoa atribuído a você? Como você se sentiu? Qual foi sua resposta a essa injustiça?
7. Você já passou uma temporada de dúvidas do presente da graça de Deus? Por quê? O que renovou sua fé?
8. "Como é feliz aquele que tem suas transgressões perdoadas", diz o salmista (Salmos 32:1 NVI). Você consegue articular a diferença que o perdão de Deus fez na sua vida?

Clamando a Deus

Pai celeste, Filho santo, teu presente da graça custou-te muito caro. Mas, muitas vezes fracassei em me concentrar em teu sacrifício. Meu pecado zomba do teu presente. Perdoai-me pelo meu egoísmo. Renovai meu sentido de maravilhar-me com tua graça. Dai-me força e sabedoria para viver uma vida que reflete teu amor por mim, de modo que os outros vejam a ti e não a mim. Em nome de Jesus eu oro, amém.

Explore viver moldado em graça

Faça uma pequena pausa essa semana. Tire umas horinhas durante a semana ou um dia antes do trabalho para passar um tempo com Cristo. Com uma nova perspectiva, leia a história da crucificação de Jesus como se estivesse ouvindo-a pela primeira vez. Passe um tempo em oração, contemplando verdadeiramente o significado do que Cristo fez por você. Dedique-se a concentrar-se nesse presente por todo o resto da semana, de modo que as outras pessoas saibam mais sobre Deus por conhecer você.

Guia do Leitor

Capítulo 4

Você pode descansar agora

Venham a mim, todos os que estão cansados e sobrecarregados, e eu lhes darei descanso.
— Mateus 11:28

Leitura de graça

"A segunda redenção ofuscou a primeira. Deus não enviou Moisés, enviou Jesus. Ele destruiu não o Faraó, mas Satanás. Não com dez pragas, mas com uma única cruz. O Mar Vermelho não se abriu, mas a sepultura, sim, e Jesus liderou todos aqueles que queriam segui-lo à Terra do Nunca Mais. Sem mais preservação da lei. Nunca mais lutar pela aprovação de Deus. 'Vocês podem descansar agora', disse a eles."

Análise das escrituras

1. Leia Êxodo 15-16. O que mudou para os israelitas entre esses dois capítulos? O que fez com que esquecessem que Deus ansiava por dar-lhes descanso?
2. Leia Gálatas 2-3. De que forma os cristãos da igreja primitiva se comportavam como os hebreus em fuga do Egito? O que Paulo disse a eles sobre isso?
3. Leia os versos a seguir e observe o que eles dizem sobre como entramos no paraíso.
   Romanos 6:23
   Gálatas 3:13
   Efésios 2:8
   1João 5:11
4. Leia Mateus 11:28 e Hebreus 13:9. Como Deus nos fortalece quando estamos desgastados? Há alguma corda presa às promessas dele? Há alguma letra miúda no seu contrato da graça? Na sua própria vida, você conheceu a infusão da força de

Deus durante uma temporada de dificuldades? Se sim, descreva o que aconteceu.

5. O que Gálatas 2:21 nos diz sobre adquirir a salvação? Como você lida com essa verdade?

Perguntas

1. O que deixa você cansado? O que requer sua atenção nesse momento? Como isso está relacionado à sua vida espiritual?
2. Qual aspecto da nossa cultura nos impulsiona em direção a uma mentalidade de "salvação adquirida"? Como podemos reformular nosso pensamento?
3. Você acredita que Deus classifica de acordo com um sistema de méritos, segundo o qual obtemos o favor dele da mesma forma que um escoteiro ganha medalhas? Quais boas obras você "pendura na fita" para que todos vejam?
4. É difícil para você confiar na graça de Deus? Por que?
5. O que significa descansar no contexto desse estudo?
6. Qual a diferença da vida cristã para as pessoas que descansam na graça e para aquelas que se esforçam para ganhá-la? Quais as implicações práticas por confiar apenas na graça de Deus?
7. Que problemas teológicos surgem quando acreditamos que devemos ser bons para ganhar o favor de Deus?
8. O que é exaustão espiritual? Você já teve um período de fadiga espiritual? Como que o descanso espiritual é uma tarefa sagrada? Como você vai da exaustão ao descanso no Senhor?

Clamando a Deus

Deus, obrigado pelo presente imensurável de tua graça. Deste teu Filho no meu lugar para que eu não precisasse trabalhar para apagar meu pecado. Já fizeste por mim. Tua graça é tudo o que preciso e tudo o que quereis de mim é aceitação. Sei que nunca serei bom o bastante ou farei o suficiente para merecer teu presente.

Perdoa os pensamentos tolos que reduzem teu sacrifício e lembra-me de que só tu podes salvar-me. És minha esperança e minha salvação. Em nome de teu filho eu oro, amém.

Explore viver moldado em graça

Pense nas situações em que você sentiu a alegria de servir aos outros sem esperar reconhecimento ou recompensa. Faça uma lista (somente para si mesmo) das ocasiões em que alguém importou-se com você ou ajudou-o sem dizer a ninguém. Considere outros exemplos de viver uma vida moldada na graça, não para obter a aprovação de Deus, mas porque o presente da graça dele motiva as pessoas a serem provedores da graça. Essa semana, planeje ser um provedor da graça, silenciosamente, secretamente. E, depois, agradeça a Deus pela oportunidade.

Guia do Leitor

Capítulo 5

Pés molhados

Sejam bondosos e compassivos uns para com os outros, perdoando-se mutuamente, assim como Deus os perdoou em Cristo.

— Efésios 4:32

Leitura de graça

"A graça não é cega. Ela enxerga muito bem a mágoa. Mas a graça escolhe ver ainda mais o perdão de Deus. Ela recusa-se a envenenar seu coração."

Análise das Escrituras

1. Leia João 13. Por que Jesus lava os pés dos discípulos? Em sua opinião, os discípulos mereciam que Cristo lavasse os pés deles? Por que? Por que não?
   a. Como esse evento mostra a nobreza e a servidão?
   b. Como esse costume antigo se aplica aos crentes de hoje? O que podemos tirar dessa história?
2. Que instrução Jesus deu aos discípulos em João 13:14-15? Qual a aplicação prática para nós hoje?
3. Qual é a relação entre ser um perdoado e ser um perdoador? Por que isso é tão importante? Veja Mateus 18:21-35; Lucas 17:3-4; e Colossenses 3:13.
4. Como 1João 1:5-10 ecoa o exemplo de Jesus e os discípulos?
5. Leia 1João 4:7-21. Como esses versos se relacionam com perdoar e servir? Quem é nosso modelo?

Perguntas

1. Jesus humildemente lavou os pés dos homens que, alternadamente, o seguiram, duvidaram dele, amaram-no e traíram-no.

Na lavagem dos pés dos discípulos, Jesus disse, "Eu lhes dei o exemplo, para que vocês façam como lhes fiz" (João 13:15). Pense em alguém que tenha magoado ou sido desleal com você. Você quer servir a essa pessoa em amor como Jesus fez? Como você pode "lavar os pés" dessa pessoa?

2. "A maioria das pessoas mantém uma panela de raiva em fervura lenta." Isso descreve você hoje ou no passado? O que faz com que você se sentisse dessa maneira? Qual foi a resolução?
3. O que acontece às pessoas que se concentram continuamente na própria mágoa e raiva? Descreva a deterioração que ocorre.
4. Jesus queria servir aos homens que duvidavam dele e o traíram. Quando queremos servir aqueles que erraram conosco, o que isso diz sobre nossa percepção a respeito de nós mesmos?
5. No passado, um desejo de justiça impediu seu desejo ou habilidade de perdoar? Como? Qual foi o resultado?
6. Enquanto lia esse capítulo sobre perdão e avançava nas perguntas desse estudo, você pensou em alguém que precise de seu perdão? O que você fará para liberar a raiva que você está contendo?
7. Os pecados que você comete têm uma dimensão maior em você do que os ataques contra você? O que acontece quando você se concentra nos próprios pecados? O que acontece quando se concentra nos ataques cometidos contra você?
8. Como as pessoas podem mudar as próprias perspectivas de modo que possam ver os próprios pecados devido à graça implacável de Deus?

Clamando a Deus

Senhor Deus, Pai gracioso, que do alto estendeu o braço e derramou o perdão sobre mim. Embora eu estivesse me afogando no meu próprio pecado, agora flutuo no teu perdão. Sempre que minha indignação "justa" começa a surgir, mostrai-me o meu próprio pecado. Deixai que a gratidão do teu presente imensurável da graça afaste toda inclinação que eu tenha de vingança. Lembrai-me da minha condição desesperadora sem ti para que eu possa compartilhar com os outros a grande graça que me concedeste. Em nome de Jesus eu oro, amém.

Explore viver moldado em graça

Controle suas palavras esta semana. Sempre que começar a reclamar ou resmungar sobre alguém ou algo, lembre-se de que foi perdoado por um Deus gracioso. Peça a ele que mostre como refletir sua graça nessa relação ou situação. Siga a orientação dele e alegre-se em uma atitude graciosa.

Guia do Leitor

Capítulo 6

A graça à margem

Cristo[...] não esperou que todos estivessem preparados. Apresentou-se disposto ao sacrifício quando ainda éramos fracos e rebeldes demais para fazer alguma coisa por nós mesmos. Mesmo que não fôssemos tão fracos, de qualquer maneira não saberíamos o que fazer. Podemos entender quando alguém morre por uma pessoa digna e como alguém bom e nobre poderia inspirar um sacrifício abnegado. Mas Deus demonstrou quanto nos ama ao oferecer seu Filho em sacrifício por nós quando ainda éramos tão ingratos e maus para com ele.

— *Romanos 5:6-8* MSG

Leitura de graça

"A graça é Deus caminhar em seu mundo com um brilho no olho e uma oferta que é difícil de resistir. 'Sente-se em silêncio por um momento. Posso fazer maravilhas com essa sua bagunça.'"

Análise das escrituras

1. Leia esses versos sobre redenção e considere o que querem dizer: Êxodo 6:6; Levítico 25:24–25; Salmo 25:22.
2. O parente resgatador aparece destacado na história de Rute. Releia Rute 2:20; 3:9, 12-13; e 4:14 para uma percepção sobre a importância desse papel às mulheres. De que maneira Jesus é o parente resgatador àqueles que o seguem? (Leia 1Coríntios 1:30 e 1Pedro 1:18-19.)
3. O que a Escritura diz sobre o remido do Senhor em Salmos 107:2; Isaías 35:10; e Isaías 62:12?
4. De que forma a remissão é celebrada nessas passagens?
   2Coríntios 9:8
   2Timóteo 2:1
   Tito 3:4-7
5. Que palavras a Escritura usa para definir libertador? Ver Salmo 18:2 e Salmo 19:14.

Perguntas

1. Como esses personagens demonstram perdão e graça?
   Perdão Graça

Rute a Naomi
Naomi a Rute
Boaz a Rute
Rute a Boaz

2. Você já testemunhou algum perdão concedido a alguém em sua vida? O que aconteceu? Como Deus concedeu o perdão a você?
3. Você já experimentou o amor libertador de Cristo em sua vida? Se sim, como?
4. Sabendo que todos pecamos e não alcançamos a glória de Deus (Romanos 3:23), o que dá a você a certeza de seu lugar no céu?
5. Max escreve, "Vá até sua versão do campo de grãos e comece a trabalhar. Não é momento para inatividade nem desespero. Dispa-se das roupas de luto. Agarre novas oportunidades; tome a iniciativa." Qual é seu campo de grãos? Como você planeja seguir o conselho de Max nos próximos dias?
6. Se você fosse verdadeiramente aceitar a graça fortalecedora que muda vidas e que Deus dá a você, o que teria de diferente em sua vida amanhã, no próximo mês, no próximo ano? Que diferenças você esperaria ver em sua vida espiritual?
7. A história de Max do lixão de Gramacho ilustra como Deus pega o lixo de nossas vidas e transforma em um belo monumento da graça dele. O que leva Deus a abraçar os quebrantados e os desesperados? Você já viveu no Gramacho do espírito humano? Como Deus resgatou-o?
8. Através de Rute, Deus trouxe as vidas de Obede, Jessé, Davi e, finalmente, Jesus. É possível que sua vida possa não ter a ver somente com você? Como isso poderia mudar sua perspectiva de perceber que Deus tem um propósito maior para sua vida do que apenas você?

Clamando a Deus

Pai Celeste, fiquei preso na autopiedade? Acostumei-me demais com minhas roupas de luto? Estou relutante em deixá-las para trás, para que eu possa agarrar a bondade desconhecida da tua graça? Dai-me coragem para tomar a iniciativa e buscar tua bondade e tua graça. Em nome de Jesus eu oro, amém.

Explore viver moldado em graça

Revisite a pergunta 4 da seção "Perguntas" do estudo dessa semana. Lembre-se de que você é filho de Deus e que está aqui para os propósitos dele. Ele quer realizar coisas maravilhosas com sua vida através da graça dele. Escreva todos os motivos pelos quais você possa ter resistido à aventura da graça de Deus em sua vida. Agora, use um marcador e escreva sobre seus motivos "A graça de Deus é suficiente para mim!" Mantenha em um lugar onde você possa vê-los e comprometa-se em aceitar o chamado de Deus para experimentar a sua graça.

Guia do Leitor

Capítulo 7

Confessando com Deus

Se afirmarmos que estamos sem pecado, enganamos a nós mesmos, e a verdade não está em nós. Se confessarmos os nossos pecados, ele é fiel e justo para perdoar os nossos pecados e nos purificar de toda injustiça.

— 1João 1:8,9

Leitura de graça

"A confissão é uma confiança radical na graça. Uma proclamação de nossa confiança na bondade de Deus. 'O que eu fiz foi ruim', reconhecemos, 'mas sua graça é maior do que o pecado, por isso eu confesso.' Se nosso entendimento de graça for pequeno, nossa confissão será pequena: relutante, hesitante, limitada com desculpas e qualificações, cheia de medo da punição. Mas, a grande graça cria uma confissão honesta."

Análise das escrituras

1. Na versão de João Ferreira de Almeida Revista e Corrigida, 1João 1:9, diz, "Se confessarmos os nossos pecados, ele é fiel e justo para nos perdoar os pecados e nos purificar de toda injustiça." Como essa purificação pode nos libertar para expandirmos nossas relações com Deus e com outros cristãos?
2. De acordo com esses versos, o que acontece com a pessoa que confessa (ou não confessa)?
   Levítico 26:40-42
   Jó 33:27-28
   Salmo 32:3-5
   Provérbios 28:13
   Atos 19:18-20
   Tiago 5:16
3. No Salmo 139:23-24, Davi pede a Deus que conheça o coração dele, que o prove e veja se há alguma perversidade nele. Como um cristão cuida disso?

4. Revisite Atos 19:18-20. Como essa escritura demonstra por que a confissão faz bem à comunidade?
5. Leia Lucas 18:9-14. O que essa história nos ensina sobre como confessar?

PERGUNTAS

1. Max descreve uma confissão que seja "pequena: relutante, hesitante, limitada com desculpas e qualificações, cheia de medo da punição." Pense nas pessoas que se desculparam a você dessa forma. Como você se sentiu?
2. Você já desculpou-se ou confessou seu pecado a alguém da maneira descrita acima? De que forma sua confissão era "pequena"?
3. Como sua compreensão da graça afeta seu desejo de confessar seus pecados? Como isso afeta você...
   emocionalmente?
   intelectualmente?
   nos relacionamentos?
   de outras maneiras?
4. Como Deus já conhece nossos pecados, por que a confissão é importante?
5. Como Li Fuyan, que sem saber tinha uma lâmina de faca em seu crânio, nós temos feridas profundas dentro de nós que nos impedem de viver completamente na graça de Deus. Há algo profundamente enterrado em sua vida que ainda traga dor? O que precisaria para curar essa ferida?
6. Você deseja deixar Deus aplicar a graça às suas feridas? O que você fará para permitir que ele tenha acesso aos seus pontos mais dolorosos?
7. Você acha que é mais duro consigo mesmo do que Deus é? Ou mais ameno? Considere quais são suas exigências para consigo mesmo. Quais são as exigências de Deus?

8. "A auto-avaliação sem a orientação de Deus leva à negação ou à vergonha", de acordo com Max. Explique porque isso é verdade.

Clamando a Deus

Ao invés de recitar uma oração guiada essa semana, aproveite a oportunidade para confessar a Deus algum problema que esteja influenciando sua vida — talvez um pecado recente, ou quem sabe um pecado bem conhecido de longa data. E, então, aceite o perdão dele com um coração cheio de gratidão.

Explore viver moldado em graça

Depois de ter confessado a Deus o que ele já sabe, então, se necessário, confesse o pecado a um amigo de confiança ou à parte ofendida. Não dê desculpas nem justifique suas ações. Apenas admita que errou, peça perdão e comprometa-se em dar a Deus espaço para agir corretamente.

Guia do Leitor

Capítulo 8

Medo destronado

À voz do teu clamor ele fará sentir a sua graça;
ao ouvi-lo, ele te responderá.
— Isaías 30:19 BJ

Leitura de graça

"A graça salvadora nos salva de nossos pecados. A graça sustentadora nos satisfaz em nossa necessidade e nos equipa com coragem, sabedoria e força. Ela nos surpreende... com amplos recursos de fé. A graça sustentadora não promete a ausência de luta, mas a presença de Deus."

Análise das escrituras

1. O que Hebreus 13:5 têm a dizer sobre esquecer que a graça de Deus é suficiente? O que pode resultar disso?
2. Leia os versos a seguir e observe a riqueza da graça e do perdão de Deus em relação a nós:
   Romanos 5:1–2
   Romanos 8:32
   Efésios 1:3
   Efésios 2:4-7
3. Qual foi a mensagem de Cristo sobre suficiência? Leia Mateus 5:6; João 4:14; e João 6:35.
4. O que significa "toda a graça" em 2Coríntios 9:8?
5. O apóstolo Paulo diz, "Tudo o que você compartilha na graça de Deus comigo" (Filipenses 1:7 NVI). Quais presentes da graça são mencionados nos versos que seguem a declaração dele (versículos 9-11)?

Perguntas

1. Como a graça de Deus é suficiente para superar o medo em nossas vidas?
2. Como a fé de alguém o estimulou a confiar em Deus mesmo em tempos difíceis?
3. Paulo nos estimula a levar nossas ansiedades ao Calvário. Faça uma lista das situações que despertam sua preocupação. Para cada item na lista, pergunte-se, *Jesus está do meu lado nisso?* Ore Romanos 8:32 para todos esses medos.
4. Faça agora uma lista de como a graça de Deus foi suficiente para você ontem, na semana passada, no ano passado e assim por diante. Glorifique-o por dar-lhe força e por não esquecer-se de você.
5. Qual é a diferença entre "graça salvadora" e "graça sustentadora"? É possível ter uma sem a outra? A graça depende de nós de alguma forma?
6. Por que a graça de Deus é necessária para superarmos nossas provações? Como seria se Deus agisse em nossas vidas sem a graça?
7. Como chegamos diariamente à fonte da graça de Deus?
8. Que desafios na vida fizeram com que você duvidasse da graça de Deus? O que você faz para lembrar-se de que Deus está no comando e concede graça suficiente para você?

Clamando a Deus

Jesus, às vezes me encontro tão oprimido pelos problemas da vida que me esqueço da suficiência da tua graça. Fico cansado de tanto pensar em maneiras de consertar meus problemas eu mesmo, ao invés de descansar na esperança que me ofereces. Toda vez que me concentro nos meus problemas, lembro-me de voltar meu foco a ti, pois és maior que meus medos. Em teu nome poderoso, oro, amém.

Explore viver moldado em graça

Pense em um problema que esteja enfrentando no momento. Uma criança teimosa? Uma doença devastadora? Um saldo no banco que não vai durar até o final do mês? Pense em algumas maneiras em que Deus poderá usar essa situação para tornar essa graça mais real para você. O que ele está mostrando sobre si mesmo nessa situação dolorosa nesse momento? O que poderia ter sido planejado para você daqui a seis meses se você permitisse que a graça dele inundasse a situação e relaxasse seu controle sobre ela? Permita que ele trabalhe para que você descanse.

Guia do Leitor

Capítulo 9

Corações generosos

Deus é poderoso para fazer que lhes seja acrescentada
toda a graça, para que em todas as coisas, em
todo o tempo, tendo tudo o que é necessário,
vocês transbordem em toda boa obra.
— 2Coríntios 9:8

Leitura de graça

"[Deus] dispensa sua bondade não com um conta-gotas, mas com um hidrante. Seu coração é um gigantesco copo e a graça dele é o Mar Mediterrâneo. Você simplesmente não consegue armazenar tudo. Portanto, deixe transbordar. Derrame. Emane. 'Vocês receberam de graça; deem também de graça' (Mateus 10:8)."

Análise das escrituras

1. Leia a história de Zaqueu em Lucas 19:1-10. O que causou essa mudança de coração? Como Jesus lidou com os resmungões da história?
2. Com base no exemplo de Zaqueu, uma pessoa precisa fazer boas obras antes que possa receber a graça de Deus? Como receber a graça de Deus motiva você a fazer o bem?
3. Que promessa Deus dá àqueles que seguem Jesus fielmente (Mateus 19:27-29).
4. De acordo com 1Coríntios 13:3, o que resulta de alguém que oferece generosamente, mas sem amor?
5. Leia essas escrituras e considere as implicações para hoje: Mateus 6:2-4; Mateus 10:8; Mateus 19:21; Lucas 12:33. Em termos práticos e específicos, o que essas instruções poderiam significar para você nesse momento?

Perguntas

1. Se você pudesse colocar-se na história de Chrysalis, que personagem você seria? Por quê?
2. O que você considera ser a conexão entre a graça e a generosidade? Descreva sua reação quando vê a graça acontecendo ao seu redor.
3. Com base na definição grega de suprir (*epichoregoe*, "guiar uma dança"), qual é a reação de Deus quando ele concede a graça a nós? O que o presente de Deus da graça revela sobre o caráter divino dele?
4. Imagine a cena no céu quando Deus testemunha um ato altruísta de generosidade. Como você descreveria o momento?
5. De que maneira você é rico? Você tem tempo para passar com outras pessoas? Você consegue preparar uma refeição de dar água na boca? Você tem o dom de dar? Pense em uma maneira de compartilhar a graça e os presentes que Deus deu a você. Descreva seu plano para compartilhar graça.
6. Neste capítulo, Max faz algumas boas perguntas que precisam de resposta. Ele diz, "Há alguém na sua vida que você se recusa em perdoar?" Como você responderia? Se "sim", o perdão de Deus a você encoraja-o a reconsiderar? Que passos você dá para perdoar essa pessoa?
7. Max também pergunta, "Você repassa a bondade de Deus aos outros? Você se queixa da compensação ímpar de Deus?" Novamente, como responderia? Em que área você é mais vulnerável para invejar ou sentir ciúmes e como você pode combater isso?
8. Considere outra pergunta que Max fez: "Quanto tempo faz desde que sua generosidade deixou alguém impressionado?" E quanto tempo já se passou desde que você foi generoso em segredo, sem buscar elogios ou agradecimentos? O que você poderia fazer essa semana para surpreender alguém com sua generosidade?

Clamando a Deus

Pai celestial, libertai-me das coisas deste mundo. Guiai-me na dança da dádiva espontânea e divertida, e deixai que a generosidade lembre-me sempre da tua graça para comigo, que eu de modo algum mereço. Em nome de teu filho eu oro, amém.

Explore viver moldado em graça

Liste as coisas em que você é bom — costurar, gerenciar dinheiro, cozinhar, ouvir, dar, ensinar. Agora, liste os compromissos que tem para a próxima semana. Encontre uma coisa que possa fazer com mais generosidade esta semana. Você participa de um rodízio de caronas? Ofereça-se para fazer turno extra essa semana. Você toma café no trabalho? Pegue para seu colega de trabalho também. Você tem um prestador de serviços estressado? Dê a ele uma folga, dando uma gorjeta extra bem grande. Preste atenção aos conflitos ao seu redor e procure por uma oportunidade de dar gratuitamente da mesma forma que Cristo deu a você.

Guia do Leitor

Capítulo 10

Filhos escolhidos

Antes da criação do mundo, Deus já nos havia escolhido para sermos dele por meio da nossa união com Cristo, a fim de pertencermos somente a Deus e nos apresentarmos diante dele sem culpa. Por causa do seu amor por nós, Deus já havia resolvido que nos tomaria seus filhos, por meio de Jesus Cristo, pois este era seu prazer e a sua vontade.

— *Efésios 1:4,5* NTLH

LEITURA DE GRAÇA

"Você é amado pelo Criador não porque tenta agradá-lo e ter sucesso, ou fracassa em agradá-lo e desculpa-se, mas porque ele quer ser seu Pai."

ANÁLISE DAS ESCRITURAS

1. Quem a Bíblia diz que somos?
   João 1:12
   João 15:15
   Romanos 8:1
   1Coríntios 6:17
   1Coríntios 12:27
   Filipenses 3:20
2. Como Romanos 8:15-17 explica nossos direitos e privilégios como filhos adotivos de Deus?
3. Leia a história de Jacó em Gênesis 32. Por que ele pede a Deus que o abençoe depois de terem lutado?
4. Nossos corações nos dizem que não temos valor, mas a Escritura implora em discordar. Como a Bíblia descreve como Deus se sente em relação a nós? (Comece lendo Romanos 8:38-39 e Sofonias 3:17.)
5. Gálatas 4:4-7 nos assegura: "Mas, quando chegou a plenitude do tempo, Deus enviou seu Filho, nascido de mulher, nascido debaixo da Lei, a fim de redimir os que estavam sob a Lei, para que recebêssemos a adoção de filhos. E, porque vocês são filhos, Deus enviou o Espírito de seu Filho ao coração de vocês, e ele

clama: "Aba, Pai". Assim, você já não é mais escravo, mas filho; e, por ser filho, Deus também o tornou herdeiro." Pense no momento em que percebeu sua adoção no coração de Deus. Pense sobre sua vida a partir desse evento decisivo e o que essa escolha significa para o futuro.

Perguntas

1. A compreensão do amor de Deus por você está intimamente ligada à sua própria identidade. Quem é você? Como você se descreveria como pessoa, como uma criação de Deus?
2. Você passou pela vida tentando mostrar a Deus que é digno do amor dele? Como você pode liberar esse fardo e descansar no fato de que Deus escolheu você e nunca o descartará?
3. Todos nós ansiamos para saber que somos importantes. Como o presente do Deus da graça responde a essa questão tão profundamente enraizada?
4. Qual a diferença entre o processo de adoção e o processo de dar à luz? Por que é importante que Deus diga que ele adotou você?
5. Pense em alguma vez que tenha se sentido amado e aceito como parte da família de Deus. Como você pode usar essa experiência para mostrar o amor e a aceitação de Deus aos outros?
6. Há alguém em seu mundo que precise sentir o amor do Pai celestial? Como você pode compartilhar o grande amor com ele ou ela?
7. Você pede a bênção do Senhor todos os dias? Como pode tornar esse pedido parte de seu tempo sozinho com o Pai diariamente?
8. O parágrafo a seguir é para seu uso pessoal. Coloque seu nome nas lacunas e ouça como se o Pai celestial estivesse falando diretamente — e somente — com você. Considere a magnitude desta declaração:

   [seu nome], quero você em meu reino. Dissipei suas transgressões, ________________________, como as nuvens da manhã, seus pecados como a névoa da manhã.

_________________________, eu o redimi. A transação está selada; o assunto está liquidado. Eu, Deus, fiz minha escolha. Escolho você, _________________________, para fazer parte da minha família eterna.

Clamando a Deus

Pai celestial, obrigado por me adotar! Obrigado por me fazer parte de tua família eterna em teu lar eterno. Sem ti não tinha esperança nem utilidade. Sem ti estava perdido. Mas contigo, como meu Pai, fui achado, resgatado, perdoado e sou amado. Sou teu filho porque desejas ser meu Pai. Aceitai minha mais profunda glorificação! Oro em nome de teu Filho, Jesus, amém.

Explore viver moldado em graça

Deixe que a frase "Sou filho de Deus" se torne seu lema. Escreva-a em um cartão e cole-o onde possa vê-lo todos os dias. Quando duvidar de seu valor, lembre-se de seu valor aos olhos de Deus. Quando vir outra pessoa sofrendo, compartilhe corajosamente o amor do Pai. Confiante de sua fé, fale com alegria e confiança.

Guia do Leitor

Capítulo 11

Céu: garantido

"Eu lhes dou a vida eterna, e elas jamais perecerão;
[Para toda a eternidade elas nunca poderão ser
destruídas.] ninguém as poderá arrancar da minha mão."
João 10:28

Leitura de graça

“Mas sabemos de uma coisa: onde há uma real conversão, há uma eterna salvação. Nossa tarefa é confiar na habilidade de Deus de chamar seus filhos de volta para casa.”

Análise das escrituras

1. De acordo com João 5:24, o que devemos “fazer” para sermos salvos?
2. Leia Judas 1 e 1Pedro 1:3-5. O que essas passagens revelam sobre o comprometimento de Deus e o desejo dele de nos salvar?
3. Leia Gênesis 39:2-9 e Tito 2:11-12. O que a graça de Deus causa nos seus seguidores?
4. O que Deus quer que saibamos sobre nossa salvação? (Ver 1João 5:13.)
5. Tito 3:7 lembra-nos de que nossa promessa do paraíso está em Deus, e não em nossas boas obras: “Justificados por sua graça, nos tornemos seus herdeiros, tendo a esperança da vida eterna.” Como esse verso conforta-o quando você pensa sobre a eternidade?

Perguntas

1. Max descreve a música da graça que Deus coloca “nos corações de seus filhos... Uma canção de esperança e vida.” Nos momentos em que sua música parece enfraquecida, o que você faz para cantar de novo?

2. O que perdemos quando não temos certeza da nossa salvação?
3. Quando Jesus morreu, seus discípulos e seguidores espalharam--se como ovelhas sem um pastor. Por que? O que aprendemos sobre Deus através das vidas desses homens e mulheres?
4. Lembre-se do dia em que aceitou Cristo como Salvador. Quem estava ali? Que memórias especiais fazem seu coração "cantar"?
5. Em uma escala de um a dez, qual sua confiança de que vai para o paraíso quando morrer? Se não responder dez, o que abala sua confiança? O que o preocupa?
6. Max conta a história de Regina e Barbara Leininger, que foram sequestradas quando crianças. Depois de anos de separação, Regina não reconheceu a mãe nem a irmã; entretanto, ela lembrava-se da música que as duas cantavam para ela. Isso inspira você a cantar a música da graça de Deus nas vidas de qualquer um dos filhos desobedientes dele que você conheça? Como você poderia fazer isso?
7. Como a certeza do paraíso se integra na sua vida, discurso, ações e escolhas diárias?
8. Como você explicaria sua expectativa de "eterno" para alguém que não acredita?

Clamando a Deus

Querido Jesus, não te esqueceste de mim quando me esqueci de ti. Obrigado por cantar a canção da graça na minha vida repetidas vezes. Dai-me a sabedoria para ver tua obra em todas as circunstâncias. Em teu nome eu oro, amém.

Explore viver moldado em graça

Você conhece alguém que já tenha abandonado Deus? Como cantará a música da graça de Deus na vida dessa pessoa? Pense em três ideias específicas e escreva-as aqui.

Guia do Leitor

Conclusão

Quando a graça acontece

Transformem-se pela renovação da sua mente, para
que sejam capazes de experimentar e comprovar
a boa, agradável e perfeita vontade de Deus.
— Romanos 12:2

Leitura de graça

"Graça. Deixe que ela, deixe que ele, se infiltrem nas fendas ásperas de sua vida, pois assim tudo suaviza. Depois, deixe que ela, deixe que ele borbulhem até a superfície, como uma fonte no Saara, em palavras de bondade e feitos de generosidade. Deus vai mudar você, meu amigo. Você é um troféu de sua bondade, um participante de sua missão. Não perfeito, mas o mais próximo à perfeição do que você jamais esteve. Constantemente mais forte, gradualmente melhor, certamente mais próximo."

Análise das escrituras

1. Leia Romanos 3:21-26 na Nova Versão Internacional. Considere a Escritura sua declaração pessoal de fé. O que as palavras-chaves desses versos significam para você?
   justificado
   redenção
   sacrifício
   propiciação
   fé
2. "Portanto, se alguém está em Cristo, é nova criação. As coisas antigas já passaram; eis que surgiram coisas novas!" (2 Coríntios 5:17). Qual o papel da graça para que isso aconteça?
3. Paulo pergunta, "Quem nos separará do amor de Cristo?" (Romanos 8:35). Reveja a lista dos apóstolos naquele verso e novamente nos versos 38-39. A lista cobre as coisas que o preocupam?

4. Do ponto de vista do ensinamento de Max sobre a graça, como você explicaria a expressão "somos mais que vencedores" em Romanos 8:37?
5. Leia Romanos 5:1-11. Qual é nossa esperança? Quando Paulo menciona "gloriamos" no verso 2, ao que ele está se referindo?

Perguntas

1. Considere os personagens bíblicos que andaram com o Cristo. As histórias deles mostraram uma vida moldada pela graça? Quem mostrou? Quem não mostrou?
2. Como você estudou a graça por doze semanas, que novas percepções descobriu? Você percebe uma mudança em sua vida, uma moldagem da graça acontecendo? De que maneira?
3. Como que uma compreensão mais profunda da graça mudou sua interação com as pessoas ao seu redor? Família? Vizinhos? Colegas de trabalho? Estranhos?
4. Há alguma área em sua vida onde você ainda precise confiar mais na graça de Deus? Por que é difícil confiar na graça nessa área?
5. Como a graça traz a cura às vidas partidas? Como trouxe a cura à sua vida?
6. Como uma abordagem moldada pela graça nos equipa a resistir aos desafios mais sombrios da vida? Já testemunhou essa abordagem na vida de alguém que você conheça?
7. Descreva a relação entre o presente de Deus da graça e sua esperança eterna.
8. Na primeira semana, fizemos as perguntas abaixo. Reveja-as agora. Compare suas respostas hoje com as da semana um. Considere como Deus trabalhou em sua vida durante esse estudo.
   Você já foi mudado pela graça?
   Moldado pela graça?
   Fortalecido pela graça?
   Encorajado pela graça?

Suavizado pela graça?
Agarrado pelo pescoço e sacudido até perder os sentidos pela graça?

Clamando a Deus

Pai celestial, Deus Santificado, agradeço muito pelo presente da graça. Não passa um dia sem que eu precise de teu suprimento infinito da graça. Lembrai-me da tua bondade cada vez mais para que eu viva a totalidade da tua graça. Concede-me que eu seja um troféu da tua bondade em tudo o que eu fizer, todos os dias, para que as outras pessoas sejam impelidas a ver e a aceitar teu incomparável presente da graça. Em nome de Jesus eu oro, amém.

Explore viver moldado em graça

Enquanto continua vivendo uma vida moldada em graça, comprometa-se todos os dias a investir na graça em tudo que fizer — nas suas decisões, nas suas palavras, nas suas relações. Pense diariamente em meios de assegurar que, onde quer que esteja, a graça acontece ali.

Notas

Capítulo 1: A Vida Moldada em Graça

1. Meu amigo Tim Hansel disse algo similar no livro You Gotta Keep Dancin' [Você precisa continuar dançando] (Elgin, IL: David C. Cook Publishing Co., 1985), 107.
2. Consulte também João 14:20; Romanos 8:10; Gálatas 2:20.
3. Todd e Tara Storch, pais de Taylor e fundadores da Fundação de Taylor (www.TaylorsGift.org), conta a história da jornada deles de representear a vida, de renovar a saúde e de restaurar famílias no livro Taylor's Gift: A Courageous Story of Life [O presente de Taylor: uma corajosa história de vida], and Unexpected Blessings [Bênçãos inesperadas] (com Jennifer Schuchmann, a ser lançado em 2013 pela Revell Books, uma divisão da Baker Publishing Group).
4. Bruce Demarest, *The Cross and Salvation:* The Doctrine of Salvation [A cruz da Salvação: A doutrina da salvação](Wheaton, IL: Crossway Books, 1997), 289.

Capítulo 2: O Deus Condescendente

1. Jim Reimann, Os miseráveis de Victor Hugo (Nashville, TN: Word Publishing, 1999), 6.
2. Ibid., 29–31.

Capítulo 5: Pés Molhados

1. David Jeremiah, Captured by Grace: No One Is Beyond the Reach of a Loving God [Apanhados pela graça: ninguém está além do alcance de um Deus amoroso] (Nashville, TN, 2006), 9-10.
2. Dave Stone, "Ten Years Later: Love Prevails" [Dez anos depois: o amor prevalece], sermão, Southeast Christian Church, Louis-

ville, KY, 11 de setembro, 2011, www.southeastchristian.org/default.aspx?page=3476&project=107253.

3. Jeremiah, Captured by Grace, *11.*
4. Robin Finn, "Pushing Past the Trauma to Forgiveness," [Deixando o trauma para trás para chegar ao perdão], New York Times, 28 de outubro, 2005, www.nytimes.com/2005/10/28/nyregion/28lives.html.
5. Jonathan Lemire, "Victoria Ruvolo, Who Was Hit by Turkey Nearly 6 Years Ago, Forgives Teens for Terrible Prank" [Victoria Ruvolo, que foi atingida por um peru há aproximadamente seis anos, perdoa adolescentes pela terrível brincadeira], New York Daily News, 7 de novembro, 2010, http://articles.nydailynews.com/2010-11-07/local/27080547_1_victoria-ruvolo-ryan--cushing-forgives.
6. (Ibid.)
7. "Amish Forgiveness," [Perdão Amish] Halfway to Heaven, 17 de abril 2010, www.halfwaytoheaven.org.uk/index.php?option=com_content&view=article&id=449:amish--forgiveness&catid=13:no-book&Itemid=17.

Capítulo 6: A Graça à Margem

1. 2Samuel 12:20; consulte também Daniel I. Block, The New American Commentary [O Novo Comentário Americano], vol. 6, Judges, Ruth (Nashville, TN: B&H Publishing, 1999), 684.
2. "Rio de Janeiro's Garbage Workers Make Art-Project Out of Trash." [Trabalhadores do lixo no Rio de Janeiro fazem projeto de arte com o lixo] Street News Service, 2 de maio, 2011, www.streetnewsservice.org/news/2011/may/feed-278/rio--de-janeiro%E2%80%99s-garbage-workers-make-art-projectout-of-trash.aspx.

Capítulo 7: Confessando com Deus

1. "Doctors Remove Knife from Man's Head After 4 Years." [Médicos removem faca de cabeça de homem depois de 4 anos] AOL News, 18 de fevereiro, 2011, www.aolnews.com/2011/02/18/doctors-remove-knife-from-li-fuyans-head-after-4-years.

Capítulo 8: Medo Destronado

1. John Newton, "Amazing Grace," HymnSite.com, www.hymnsite.com/lyrics/umh378.sht.
2. Josiah Bull, "But Now I See": The Life of John Newton [Mas agora eu vejo: a vida de John Newton] (Carlisle, PA: Banner of Truth Trust, 1998), 304, citado no livro de David Jeremiah, Captured by Grace: No One Is Beyond the Reach of a Loving God [Apanhados pela graça: ninguém está além do alcance de um Deus amoroso] (Nashville, TN, 2006), 143.

Capítulo 9: Corações Generosos

1. Michael Quintanilla, "Angel Gives Dying Father Wedding Moment." [Angel dá ao pai à beira da morte um momento do casamento] San Antonio Express-News, 15 de dezembro 2010. Usado com permissão de Chrysalis Autry.
2. Eugene Peterson, Traveling Light: Modern Meditations on St. Paul's Letter of Freedom [Viajando na luz: Meditações modernas na carta de liberdade de São Paulo] (Colorado Springs, CO: Helmers and Howard, 1988), 91.

Capítulo 10: Filhos Escolhidos

1. O trecho do Trem dos Órfãos de Lee Nailling está reproduzido com permissões dos Guideposts Books, Guideposts.org. © 1991 by Guideposts Direitos reservados. ShopGuideposts.com.

Capítulo 11: Céu: Garantido

1. Tracy Leininger Craven, Alone, Yet Not Alone [Tracy Leininger Craven, Sozinho, embora não sozinho] (San Antonio, TX: His Seasons, 2001), 19.
2. Ibid., 29–31, 42, 153–54, 176, 190–97.
3. Judas é um exemplo de alguém que parecia ter sido salvo, mas que na verdade não foi. Por três anos ele seguiu Cristo. Enquanto os outros estavam se tornando apóstolos, ele se tornava a ferramenta de Satã. Quando Jesus disse "Vocês estão limpos, mas nem todos" (João 13:10 NVI), ele estava se referindo a Judas, que possuía uma fé falsa. O pecado persistente pode induzir à descrença.

Este livro foi composto em Garamond Premier Pro 11 e
impresso pela Cruzado sobre papel pólen soft $70g/m^2$
para a Thomas Nelson Brasil 2023.